JOCK STEIN – A SCOTS LIFE is a Scots language biography of the greatest manager in Scottish football.

From humble beginnings in the Lanarkshire coalfield, Jock Stein became one of the most successful Scots of his generation. Under his leadership Celtic became an awesome force in Scottish football and were the first British club to win the European Cup. He later achieved success as manager of the Scotland international team.

Written in an easy-to-read modern Scots, Glenn Telfer's biography explores the connection between Stein's industrial working class upbringing and his greatness. The book looks beyond football and views Stein as a cultural figure of immense significance.

# Scots Legends Series

THERE WAS A TIME not so long ago when the Scots language was regarded as bad English and as something which should be discarded at the first opportunity. Thankfully these attitudes are fast disappearing. More than ever before, Scottish people now appreciate that the richness of their own language cannot be replaced by English. Many have come to see that we were wrong to surrender so lightly our own linguistic birthright when we can so easily have both Scots and English. There is no competition; English is a global language, Scots is a magical link with our past. We need them both.

Our schools are reflecting these changed attitudes and now actively promote the Scots language. The Scots Legends series is part of this new confidence in how we express ourselves and presents well-researched life stories of significant figures from past and present in easy to read Scots.

# JOCK STEIN

## A SCOTS LIFE

### GLENN TELFER

SCOTS LEGENDS
series

**A**rgyll
publishing

*First published 1997*
Argyll Publishing
Glendaruel
Argyll PA22 3AE
Scotland

**British Library Cataloguing-in-Publication Data.
A catalogue record for this book is available from
the British Library.**

ISBN 1 874640 13 0

*Origination*
Cordfall Ltd, Glasgow

*Printing*
Caledonian International
Book Manufacturing, Glasgow

# Acknowledgements

A SMA TEAM o people gied me help and advice wi this wark.

Jeff Balfour o Balgreen Library and Isabel Walker o Hamilton Library; Bob Crampsey, the fitba authority and the author o an excellent biography o Stein, generously discussed some details o Stein's lyff wi me. Invaluable insicht was providit bi twa o Stein's players, Jimmy Johnstone and Jim Craig. Colin McCullough brocht his great knawledge o Scottish fitba and his common sense tae the script. My wife, Evelyn, was aye there for me.

And in the backgrun cheering me on was my faimly and freens. When we add them aa thegither we get the haill eleven, the subs, the bench staff and a stand fu o supporters. The goal is aye the result o teamwork.

Glenn Telfer
Edinburgh, April 1997

# CONTENTS

*Stein's greatness rests on a quality o speirit. He was aye conscious o representing something mair than himsel*

# INTRODUCTION

In creating a team that dominated Scottish fitba and achieved European success Jock Stein becam ane o the maist successfu Scots o oor time.

His mastery o fitba management brocht him respect that easily bridged club rivalries and reached oot tae Europe. But Jock was mair than respectit and admired, he was hero worshipped. And gin ony man coud be sayd tae be worthy o this sort o attention then Jock Stein was that man.

In the best traditions o the Scottish hero, Jock's success was achievit against the odds. It is nae jist the incredible success that brings him intae the Scots Legends series but the manner in whilk it was achievit. His dignity, loyalty and belief in hard wark representit the very best traditions o oor country. His ability tae get the very best oot o his men and his graciousness in victory or defeat mark him doun as a great leader. It is for those reasons that Jock maks a worthy companion tae the warriours and kings and visionaries that we usually think o as oor country's heroes.

It is my belief that the fineness o his upbringing lies ahint his success and I intend tae explore this. Jock was also a guid faither and husband. This private pairt o his lyff he kept tae himsel and I intend tae dae the same.

Jock's story has a significance for us that reaches ayont the warld o fitba. This is because fitba itsel is mair than jist a game. In oor ain age it has reached deep intae oor culture. It is mair than jist something people dae. For mony people fitba has replaced the clan and the land as the focus o their loyalty. And we view the exploits o players wi the same pride that oor ancestors did wi warriours and kings.

In similar wey, Scotland's reputation abroad is mair likely tae be founded on the performances o her teams. The fitba stadium is the arena in whilk we compete as tribes or join thegither as a natioun. Muckle o oor ambition is tied up wi the performance o oor teams, but though we gie sae muckle, as aften as nae we get repaid in frustration and disappointment.

It is against the backdrap o fitba's ability tae baith generate and placate primitive instincts, its potential for being divisive and unifying and its supreme importance tae oor culture and international presence that Jock's achievement maun be viewed.

But cam; let us staun in that tunnel in the Estadio

Nacional in Lisbon jist prior tae the stert o the European Cup final. Lining up next tae Celtic is the supposedly unbeatable Inter Milan, confident that they are jist ninety minutes awa frae their winners' medals. Then intae the tension cams a Scots voice – it is singing the Celtic sang. The rest o the Scots jine thegither singing their herts oot. And then, the last lines.

*For we only know that there's going to be a show,*
*And the Glasgow Celtic will be there!*

Wha says they are nae warriours?

# 1. Young Jock

For aa his exceptional qualities
and success Jock Stein was and
remained very much a man o his
time and place.

A nd it is in camin tae an understanding o whit the
time and place o his birth actually means in terms
o choices and culture that we get near tae an
understanding o the man himsel.

Jock Stein was born John Stein tae Jane and George
Stein on October 5th, 1922 in Burnbank. Burnbank was
the puirer pairt o the toun o Hamilton in Lanarkshire.
Jock was the second o fower and the only boy. His

backgrun was solidly warkin class. His faither was a coal miner as indeed wer maist faithers in that area. Jock's big sister was caaed Elizabeth. His younger sisters wer Jessie and Margaret.

His upbringing was sober and free frae prejudice. Eftir the manner o the time, it woud hae been strang on discipline. In maist respects, Jock's faimly wer ordinary Scottish warkin people. Whaur they differed frae the lave was in the confidence that they impartit tae their son. This was a quiet type o confidence but it ran true and deep. Jock's mither seems tae hae been mair responsible for this side tae his character. She had a strang belief that her son woud dae weel in lyff. Jock was brocht up a Protestant in a faimly whaur religious bigotry played nae pairt. The same, alas, coudnae be sayd for ither faimlies in Lanarkshire.

The warld that Jock was born intae still seems familiar tae us noo. Mony streets, buildings and monuments are unchanged. Photographs and films remind us o the luik o things then. The age is weel within the span o a lyff. And yet, muckle has changed. Perhaps withoot us being aware o it, the Scotland o that time has changed sae much that it really is anither country.

It was an age when Britain had an Empire that stretched aa aroun the warld. It was an age afore the Welfare State and the educational opportunites and health care that we tak for granted. It was an age o discipline and punishment –at hame, on the streets and at schule. It was an age afore the car and the consumer.

There was an extraordinary vibrant street life. Tradesmen pushed wheel barras and horses wer commonplace; leeries, tinkers, scrappies, rag and bone men and everywhaur bairns playing the games that they inventit. It was an age o steam trains and open cockpit biplanes. O scruffy wee dairies and tobacconists. On maist side streets cars wer rare things and hardly disturbed the games o fitba played wi an auld burst bladder. This was an age when maist people warked hard tae put food on the table. It was a time o few luxuries for the common people and the maist commonplace features o oor lyffs – the nicht spent wi the television, the washing machine, wardrobes packed wi claes, the microwave pizza, the taxi hame, the holiday abroad, warldwide year roun foodstuffs – wer unkennt. Bairns woud be lucky tae hae a penny and ony odd jobs they did woud gae strecht intae the faimly's budget for this was a time afore pocket money.

But great though these material differences wer, the mair significant yins wer in attitudes and assumptions. Muckle of their culture and beliefs we can see noo grew oot o the nature o their wark and a thoosan years o hard Scottish history. It was this that made them share and staun thegither. And mony woud be the time when only faimly and freens kept a faimly frae abject poverty. It was a time o communities; few o us noo understaun.

Young Jock grew up in an age in whilk there was very little choice aboot careers for people frae his backgrun. Whaur he cam frae, men usually went tae the pits or the foundry or an engineering wark. Haein little choice encouraged a culture in which people got yaised tae makin the best o their lot. They wer also mair certain aboot whit they wer and their place in lyff; this certainty aboot themsels and their role in the faimly was the great anchor tae oor parents' and grandparents' lyffs. They kennt the standards expectit o them; it helped them cope wi hardship whilk was neer far awa. It was also a culture that coud be remarkably generous and licht-hertit. People wer aye ready tae enjoy themsels wi simple pleasures; a drink, a sing-sang, a game o bowls or quoits. It was a time o much human contact.

The shared dirt and dangers o mining in particular aften was a proving grun for the character o the men and women. It made them loyal and decent and enduring. It made them plain-talking people. It was a place whaur fly men and cheats wer foun oot, pretentiousness didnae flourish. But there was anither side tae the coin – the unyielding, intolerant, conformist side and, of coorse, the bevvy. Too mony men foun their ootlet in bigotry and strang drink. The faimlies lost tae violence and drink was the dark side tae this age.

Burnbank itsel was in an area dense wi mines and industry. In common wi much o industrial Scotland it coud be a bit rough. Expansion o industries in the nineteenth century had brocht in mony warkers and later contraction o these same industries had created frictions atween those in and oot o wark. These frictions had tended tae form alang religious lines and thus the sectarian traditions whilk already existed in Scotland wer reinforced. Oot o auld beliefs and new tensions atween Protestants and Catholics cam sectarian bigotry. Intolerance, bias in the warkplace and even hatred wer the weys in which the scourge presentit itsel. It becam a major social force in the Scotland o Stein's time. Aften this bigotry coud nae be resistit or ignored; the sectarian issue was jist pairt o the landscape. It brocht muckle meanness intae life. Glasgow's twa famous teams, Rangers and Celtic, becam the focus for much sectarian rivalry in the West o Scotland.

Certainly Jock grew up wi fitba aa aroun him. He woud grow up hearing it discussed in the hame, for his faither was a committee member for Blantyre Victoria, a local junior team (later on this same team woud rear Stein's great captain, Billy McNeill). And, of coorse, it was played on ilka street and park in the country. Games woud be played aa the time; frae keepie-uppie and three-and-in tae gigantic twenty-a-siders. Rain didnae stop play and mony's the time the game woud continue eftir dark; playing then bi soond and instinct.

Perhaps mair than onything else it was the defining thing aboot being a boy then; boys played fitba. Much, too much, self esteem and pride was investit in these games. Whaur ye wer picked in the line-up for the team (eftir the tic-tak) was an event o lasting significance. Tae be doun wi the wee brithers or the occasional lassie was damaging.

Bi the time he was at secondary schule Jock had grown up tae be a big lad, ower six feet tall but skinny as a bean pole. In an age o wee men his size was conspicuous and this alane was an asset tae his schule team. This was a time when the attack was carried bi wee wingers and dribblers as agile as monkeys. Jock, then, was destined tae be a defender. In his schule team he distinguished himsel bi being functional and reliable.

It was aye the hope o miners that their sons woudnae follow them doun the pits. For it was a job that too aften ended badly, wi men killt or even waur, their lungs ruined wi coal dust whilk left them hechin and pechin at the getting oot o bed. George Stein needit nae telling o the dangers; he himsel had already been involved in gassing accidents whilk wer slowly but shairly takin awa his health and strength.

Young Jock's parents maun hae hoped for a guid trade for their son. But this was easier said than done, for the 1930s wer an era o economic depression and apprenticeships wernae jist there for the takin. Nor was steyin on at schule and getting a guid education an option. Jock grew up afore grants made further education possible for warkin class children. In anither era wha kens if Jock's ambition woud hae led him tae choose an education as a stepping stane? In his day only the exceptionally gifted bairn frae his backgrun had ony chance o steyin on eftir the leein age o 14.

Jock did weel eneuch at schule but his faimly circumstances made the leein o schule a necessity; they needit the money. It was that simple. But although Jock's schulin ended at 14, his education had been soond eneuch and he wasnae hampered bi ony lack o it.

When he left schule Jock got a job in the local carpet factory. The job didnae suit him and afore lang he jined his faither doun the pits. For parents wi heich hopes for their wean it wasnae whit they wanted but nae for the first time did hopes o something better cam tae nocht when faced wi hard reality.

But the pit did cam wi some advantages. Young Jock was noo a member o the community o men that he had grown up wi; he too was a miner. The camaraderie and sense o satisfaction was real – and Jock neer forgot this. Mining was regardit as a noble occupation and miners tuik pleasure in the glory o their job. Lastly, the money was guid. Tae us noo the wages wer a pittance and their lyffs desperately puir. But bi the standards o the day they wer weel eneuch aff.

Jock was still playing fitba. He maun hae been gey fit at this stage tae be cutting and shovelling coal aa day and training and playing in between. He maun hae been gey wabbit as weel afftimes.

If Jock's mither still believit that her son woud be lucky and dae weel, it was noo less apparent whaur that success woud cam frae. A career in fitba was beginning tae luik less and less likely, for though the young Jock was obviously a guid and dependable player it was equally obvious that he wasnae a star. At this stage Jock wasnae tae ken his future. He had ambitions and dreams but whiteer they wer they didnae interfere wi the practical things he had tae dae. And he had plenty tae dae. His eldest sister had deid at sixteen and his faither had taen a stroke. Jock was noo the breidwinner.

*The shared dirt and dangers o mining was a proving grun
for the character o men and women*

# 2. COAL MINES AND FITBA

Stein warked hard during the '40s.
But the prospect o significant
success in fitba seemed
tae slip awa.

Eftir war broke oot against Germany in 1939 certain
jobs wer defined as 'reserved'. Warkers in reserved
occupations wer considered vital tae the country's war
effort and woud nae be drafted intae the armed forces.
The miners wer yin sic group.

Tae be in a reserved occupation was nae easy option.
The country's need for the products of war was colossal.
Ships, aircraft, tanks and ither munitions wer being

consumed at an awfu rate. It needit a michty effort bi oor manufacturing industries tae keep up wi the losses. But this effort was in turn utterly dependent on coal. It was coal and coal alane that fired the boilers and pooer stations that made manufacturing possible. The haill war effort was itsel ultimately dependent on the graft o the miners. This was physical wark at its purest and hardest, for it was the pick and shovel that won the coal. And coal was needit like neer before.

It was a time o unending hard wark. It was a time o few luxuries, o anxiety ower freens and faimly in the forces, o guid news and bad news alike aye accompanied wi daith. It was a time o the black-oot at nicht, o clothing coupons and food rations. This was the backgrun tae young Stein's life at the stert o the war. It differed only in detail frae that o maist people in Britain.

Wi a faither in puir health and twa young sisters tae be providit for, Stein tuik his role as the faimly's main breidwinner seriously. But he still foun time for fitba. At first he was playing amateur but sune he was playing at junior level wi Blantyre Victoria, his faither's auld team. He got kennt in the area as a strang and reliable centre hauf.

The local senior league side, Albion Rovers frae Coatbridge, invitit Stein tae a trial. Bi this time the war had brocht aboot some big changes tae the league set-up. Full-time fitba was banned. Aa players, even those frae the biggest teams becam pairt-timers and had tae find anither job. The twa division league was disbanded and replaced bi a Northern and Southern

League designed tae reduce the need for travelling. There was nae relegation or promotion in these leagues. Albion Rovers, it coud be sayd, wer benefitting frae sic a set-up. For it allowit them tae play against tap class opposition (Rangers, Celtic, Hibs and Hearts wer in their league) when in fact they wer naturally a second division side and had been since the 1920s.

In Autumn 1942 Stein played his first game for the side as a trialist. It was against Celtic. Bi hauf time Celtic wer 3-0 up, but the wee Rovers made a dramatic recovery and finally earned a 4-4 draw. Twa mair trial games against Hibs and Falkirk had less successfu ootcams but Stein impressed eneuch tae be offered a contract. The fact that he was a miner and nae liable for a call-up tae the army woud hae been a consideration. Sic was his self-belief that he hung aff signing for a wee while tae see if a better offer woud cam alang and when nane did he becam a Rovers player in December 1942.

Stein maun hae been ower the mune. He had achievit the Scottish warkin class boy's dream; he was a professional fitba player. His faimly too, and especially his fitba-mindit faither, maun hae been proud o him. Stein was also bringing intae the hame an extra £2 a week – the maximum permissible for aa the teams under the wartime rules.

But in achieving a dream, Stein coud hardly be sayd tae be living in it. The wartime fitba conditions wer hard. Aften it was strecht frae the pit, black and tired (for there wer nae showers at the pit heid then) tae training or a game and sometimes *vice versa*. It was a situation made easier bi the teamwark o the Stein faimly, for Jock's mammy and wee sisters did aa they coud aroun the hame tae mak his lyff that bit easier.

Stein was noo playing against top class opposition but wi a team that wer, in truth, weel oot o their depth. They won very few games and during the war years Albion Rovers wer either bottom or second bottom o the league. Defeat isnae an easy thing tae live wi and they maun hae been hard years. But the experience didnae ding Stein doun. For some people sic an experience can be a positive force. It can instill a strength o will, a realism, a humility. It can mak ye able tae dae yer best regardless. Sae it was wi Stein. The resilience that was his Scottish birthricht was undoubtably strengthened bi his years wi the Rovers.

In 1946 he had mairrit Jean McAuley, a local lassie that he had been coortin syne 1942. Their mairriage was rather unusual because they were frae different religious backgruns. Jean was a Catholic, Jock was a Protestant. Sic a mairriage was caaed a mixed mairriage. It aften invitit comment and criticism.

Eftir the war Albion Rovers returned tae the second division. Although wi Stein as captain they won promotion in 1948, they wer back doun again at the end o the season in 1949. They remained pairt-timers and sae Stein kept his job in the mines.

Season 1949-50 was tae be his last wi the Rovers. He had been wi them for echt seasons. He had matured intae a solid and reliable player. His lack o the finest skills was mair than compensatit for bi his leadership. And he aye played his best against the best. He had been a great captain and had gien a lot tae the club. But wi cash-strapped Rovers he didnae hae muckle tae shaw for it. And noo, as a mairrit man wi a bairn, he was haein tae think o his faimly. In that last season Stein kennt that he was in a rut; it was time tae get oot. Only Kilmarnock cam for him, but Rovers turnt doun the offer. His contract wi Rovers didnae allow him tae jist gang tae anither club in the league. It seemed as if Stein woud be stuck. But then a lifeline cam.

Dougie Wallace, an auld Albion Rovers teamate, was player-coach wi Llanelly Town in Wales. Perhaps hearing o Stein's position, or mibbe jist guessing, he persuadit his employers tae mak an offer. Stein's contract wi Rovers woudnae be a problem in Wales. Llanelly wer a non-league team playing in a set-up similar tae the Highland League in Scotland. But wi some big differences; firstly, the non-league teams wer attracting guid-sized crowds and secondly, the money was surprisingly guid. The main difference though, was that Stein woud be a full-time player; he coud lee the pits.

There was nae question that in some respects it was a bit o a backward move for a senior player o Stein's age and experience tae gang tae a less prestigious competition, but he woud hae focused on the benefits. It allowit him tae get awa frae the Rovers. And wi a basic wage o £12 a week he was earning mair than twice whit he got wi the Rovers But maist importantly, it was a fresh stert, a new chance tae see whit he coud dae as a full-time professional. It was a bit o a gamble really but he felt he owed it tae himsel.

He made an impact richt awa. In his first game Llanelly won 7-1. Stein becam the captain and played a significant pairt in the team's success ower the camin year. His was a commanding presence on the field. While he was there the big gates held up, incredibly sometimes as much as 15,000.

Stein was weel received and happy eneuch in Wales. His time there though had the feel o an adventure. He kennt that it woud be a temporary thing nae maitter how weel it turnt oot. He was nearing 30 and as a fitba player time was running oot. His hope maun hae been that a guid league side woud recognise his talent and swoop on him afore it was too late. And if naebody did, then he micht hae a few years wi Llanelly but eventually he woud end up back in Scotland, back tae the pits.

Then twa things happened at yince. Eftir Stein's wife and wee dochter cam doun tae his lodgings in Wales, their noo empty council hoose back in Hamilton was broken intae. When this happened a second time his wife foun the experience too much tae tak; she jist had tae gae hame. The Steins didnae hae the option o selling up and moving doun tae Wales. Hoose ownership as a norm was ower a generation awa for people in Stein's circumstances. The '50s too was a time o hoosin shortages and ower-crowding on an enormous scale.

Mony young couples ended up wi nae choice but tae spend their first years thegither living in the back room o their parents' hoose. For this reason their council hoose in Scotland was a rare prize that coudnae be gien up while there was a probability that Stein woud eventually move back tae Scotland.

Mibbe we are too remote frae these times, too yaised tae oor ain space, too yaised tae upping the posts and moving aroun the country tae fully appreciate how pooerfu was the need then tae hang on tae their hoose in Scotland. Faced wi the worry ower his hoose and his wife's distress, Stein felt that he had nae option but tae pack up and gae hame.

Then at the very same time as he was facing the need tae lee, an offer cam . . . frae Celtic! Legend has Stein gaein tae his chairman wi the bad news o his decision tae lee, while he was eftir Stein wi the guid news o Celtic's offer. Jock foun it hard tae believe but it was true.

# 3. STEIN GANGS TAE CELTIC

Luikin back ower the years
Stein's move tae Celtic seems like
the haun o fate.

E ftir season 1951-52 stertit Celtic had a minor
problem. They needit short-term cover for their
centre hauf position. They wantit someone wha was
experienced and reliable. Someone wha woud fit in
withoot fuss. Someone wha woud be a guid influence
on the younger players in the reserves. They needit, in
short, an auld pro and ane wha wasnae expensive. On
the suggestion o Jimmy Gribben, the reserve trainer,
they approachit Llanelly. For £1,300 they got whit they
needit.

There is nae question that at the time the offer frae Celtic was an incredible stroke o guid fortune for Stein. It tuik him bi complete surprise. He was astonished and delichtit in equal measure; here in a fitba backwattir, and at nearly 30, his dream o full-time fitba wi a senior club was camin true.

But it was nae camin true in ony spectacular wey, for Stein's transfer was a modest event nae worthy o muckle comment. Stein was realistic eneuch tae ken the limitit nature o Celtic's need for him but he was also entitled tae bask in the glory. For his signing was a vindication o his belief that he was guid eneuch for the best teams.

Luikin back on the astonishing success that was tae follow, his move tae Celtic has the appearance o the haun o fate waving him on. But there was nae haun o fate. Granted the timing o the offer was jist perfect, but it's yin thing tae be gien a chance, anither tae recognise it and tak it.

Stein's success was due tae him being able tae tak the chance haundit tae him. The sober, hard-warkin years wi Albion Rovers had made him resilient, his confidence was high eftir his success in Wales and he had eneuch self-belief nae tae be put aff bi his lowly status in a team o stars. At 29, Stein was a mature player and his ambition still ran strang. He was ready for the challenge and the opportunity that his transfer tae Celtic offered. This was why he succeedit.

When Stein went tae Celtic he was gaein tae a team

nae short o fine players. Mony wer or woud be internationalists. And in John McPhail, the twa Bobbys, Evans and Collins, Charlie Tully, Sean Fallon and Bertie Peacock, he had team-mates wha woud becam legends. But though Stein was jining a team o stars it is also true tae say that they wernae aye playing like stars. They had the players wi eneuch talent, they had the support, they had the resources, but there was something missing. They aften played brilliantly, but nae aften eneuch. Bi the league's end the final position tables shawed a cruel truth. In the five years afore Stein cam they were 7th, 12th, 6th, 5th and 7th in the league. For aa their potential, and the legitimate aspirations o their vast following, they wernae a tap side. Luikin back ower the years frae the stert o the war, the only major trophy they had won was the Scottish Cup in 1951.

It is hard tae ken exactly why this was sae. Certainly it is due in pairt tae the fact that the auld first division was a mair competitive league than its modern equivalent and teams coud tak on Celtic withoot the massive sense o inferiority that later becam built intae sic encounters.

But it was perhaps mair due tae Celtic lacking a deep discipline, guid leadership at aa levels and self-belief. They had got oot o the habit o winning. But whaur was the self-belief tae cam frae? It didnae cam frae Jimmy McGrory, the manager; he wasnae able tae shaw the drive as a manager that he had had as a player. There was naebody it seemed that coud push Celtic tae the tap. Whaurever sic drive was tae cam frae yin thing woud hae seemed certain tae the fans, and this was that the new signing coud hardly provide it. A 29-year-auld former pairt-timer playing oot his days in Wales coud hardly be the answer.

The injuries tae the centre hauf regulars Jimmy Mallan and Alec Boden meant that richt frae the beginning Stein was thrown in at the deep end. In his first week he played a game against Saint Mirren. Celtic won 2-1. A month later Boden was back but bi mid-February 1952 Stein got the position back and neer lost it again until he stopped playing.

It was clear frae the beginning that Celtic had got a bargain in Stein. He was a better player than mony thocht that he woud be and was especially guid in the air. His ba skills wernae the finest but in his position they didnae need tae be. He was guid in the areas that maittered tae a defender; he was strang, brave, organiz-ed and he read the game weel. He was a naturally commanding figure and was fu o instructions and encouragement. His dependability inspired confidence in his team-mates. His presence made a difference.

Season 1952-53 was Stein's first full term wi Celtic. Sean Fallon replaced John McPhail as club captain and in accordance wi the practice at that time he was allowed tae chose his vice-captain. It was a hard choice for Fallon; he had cam tae admire Stein and respect his feel for the game but Bertie Peacock was his best pal. Fallon eventually decidit on Stein; in only hauf a season he had earned the vice-captaincy.

In Fallon's second game as captain he broke his erm and Stein tuik ower. Nae aabody was happy at this. It was felt bi some fans and players that there wer mair longer serving and better players wha shoud hae been made captain but Stein won them ower bi strength o personality and example. Fallon resumed his captaincy a few months later but damaged the same erm again and was yince mair oot o the team. Bi the time he was fit again Stein had made the captaincy his.

In May 1953, Celtic won their first trophy wi Stein, the Coronatioun Cup, a one-aff competition devised as pairt o the celebrations for the coronatioun o Queen Elizabeth. It was a competition bi invitation only. Celtic's invite was based nae sae much on merit as on their prestige and the size o their support. Wi Stein there, this time Celtic didnae falter. They beat Arsenal 1-0, then Manchester United 2-1, whilk earned them a place in the final against Hibs. The Hibs team o this era was easily yin o the best eer Scottish teams. They wer richtly fancied tae win the final at Hampden. But they didnae. In front o a massive 100,000-plus audience Celtic won 2-0 much against the run o play. It was essentially a defensive game for Celtic. Hibs attacked again and again. Celtic though, wer resilient and John Bonnar was brilliant in goal. The day jist wasnae tae gang tae Hibs.

There is sic a thing as luck and Celtic had it that day. But luck is nae aye the chance thing that we usually suppose it tae be. And if it is true tae say that Celtic wer a bit lucky it is also true tae say that they didnae collapse under pressure and that this wasnae due tae luck but tae guid organization and confidence. Stein as the captain was deserving o muckle credit and it was he wha collectit the trophy.

Prufe that a change had taen place in the confidence o the team was gien in season 1953-54 when Celtic won the league and Scottish Cup double. They hadnae done that syne season 1913-14.

It was during this year that Stein and the club chairman, Robert Kelly, developed a close relationship. Ilka ane saw in the ither a man o integrity. Baith wer believers in plain speaking.

The season whilk followed wasnae sae successfu for Celtic. They wer league runners-up tae Aberdeen and although they did reach the Scottish Cup final again, it was only tae be defeatit 1-0 bi Clyde in the replay. Mony felt that the defeat was due tae the interference bi the chairman in the selection o the team.

An ankle injury sustainit against Rangers early in the 1955-56 season finished Stein's playing days. He was 34. Bi this time the mutual respect atween Stein and the chairman was tae ensure that he woudnae need tae return tae the mines. He was gien the offer tae stey on at Celtic Park and coach the reserve team. Of coorse, Stein tuik it. His ambition was big. He kennt it was whit he wantit tae dae.

*Jock Stein's dignity, loyalty and belief in hard wark*
*representit the very best traditions o oor country*

# 4. CHALLENGE O MANAGEMENT

Stein acceptit the offer tae coach
the young players at Celtic Park.
It set him on the road
tae management.

I n coaching he woud find a career whilk brocht
thegither his love o the game, his analytical mind,
his patience, his great drive and his leadership qualities.
It was the logical move for him. He was made for the
job.

Coaching wasnae quite the same job then that it is
noo. The main purpose o coaching when Stein stertit
was the achieving and maintaining o fitness. This

involved sprints and lapping the track. But this speed and stamina was achievit at the expense o time on the ba.

Aa the features o coaching that we noo tak for granted – fower-on-five, thrie-on-twa, juggling and trapping, free-kick practices, the development o tactical awareness, five-a-sides, o game plans and personal instructions – jist didnae exist then. The feeling was that ye didnae want tae gie players too much time (if ony) on the ba sae that they woud be keener for it on Saturday. And matching this lack o ideas was a lack o facilities and equipment; these wer primitive even at a big club like Celtic.

While it is true tae say that muckle o the management and coaching was slapdash and amateurish we maun mind that the fitba reflectit the society and that 1950s Scotland was a puir country, lacking in frills, traditional in habit, inflexible in attitude. The ideas, products and attitudes that woud revolutionise the sport wer a lang wey aff. It was felt that fitba didnae need much thocht spent on it. Jock thocht itherwise.

The lack o ideas and o variety inevitably led tae a certain staleness in the coaching. Aften, too aften, there was slackness as weel. Stein hated this. As sune as he tuik ower the easy-going philosophy was finished. He kennt that the youngsters under his care had been gien an incredible opportunity and he was neer tae let them forget that maist boys woud gie onything for the same chance. It was their duty nae tae squander it.

Stein tuik the job seriously and expectit the same o

ithers. Inside himsel he was still a miner. The habits and attitudes o the miner didnae die aff when he becam a coach but foun expression in every aspect o his style. His toughness was genuine – naebody messed wi him. Stein had the natural authority that made youngsters listen tae him and he also had a direct and unpretentious wey o communicating his ideas.

Stein demanded results and he got them. He was building up a pool o fine players in the reserves. Meanwhile the first team, wi Stein noo gane, stertit the slip back tae its auld inconsistent habits. The contrast atween the reserve team and the first team coudnae hae been greater. It was noticed that Stein coud manage and motivate. He was weel ready for his ain team. In March 1960 he got his chance wi Dunfermline Athletic.

Stein woud rather hae steyed on at Celtic if there was a prospect o him inheriting the manager's position. It becam clear though, that there was little chance o this. Some hae believit that the Celtic board discriminatit against Stein for religious reasons. They argue that the board felt that Stein, as a Protestant, was unfit tae manage a Catholic club like Celtic. And sae, if Stein had greater ambitions than the management o the reserves, then he woud hae tae gang elsewhaur.

It is hard tae ken the truth o this claim. Certainly mony people connectit wi Stein believe it. But how much o this is based on fact and how much on inference and misunderstanding we cannae ken. And while it is true that sectarian influences operate in jist this manner, it is also true that nae area o Scottish life is the subject o sae much false belief and paranoia. It is hard tae imagine Robert Kelly, the chairman, telling Stein tae his face that Protestants wernae wantit for the manager's position. He was a man abune sic thochts. But there are nae facts in this claim and sae we maun pass ower it.

In ony case, in Jimmy McGrory, Celtic had a manager wha was baith looed and respectit. The fact that he was unsuccessfu wasnae regardit as a sacking issue then. Management wasnae the high pressure merry-gae-roun that it is noo and clubs usually stood by their managers. Stein leein Celtic shoudnae be considered as onything ither than the next logical step in his career. Pairt o Stein didnae want tae gae but he was ready for the challenge.

And challenge it was, for Dunfermline wer in a precarious position. It hadnae been a guid season for them. Noo there wer six games left in the league and Dunfermline had tae win them aa if they were tae stey up. Stein's first game was against Celtic; it seemed as if it woud be an unlucky stert tae management.

It was a thrilling contest wi Dunfermline takin the lead eftir ten seconds. Celtic wer tae hit back but Dunfermline played wi a new confidence and wer able tae tak the game at 3-2. It was the perfect big bang stert that aa managers want. Stein had clearly done something tae his new team.

"These two points still won't do you any good," Celtic

chairman Robert Kelly tellt Stein. But they did. And Dunfermline won their next five games, thus achieving their highest number o wins in a row in the first division.

In his first few months Stein had rescued his club frae relegation. Noo his task was tae ensure that it woud mak the first division its hame. Dunfermline had been ane o those clubs that had the resources tae aften win promotion but nae eneuch tae stey up. Stein was tae change that. He banished the club's feelings o inferiority. Significant prufe o their new strength cam bi them winning through tae the Scottish Cup final. Their opponents wer Celtic. The game ended in a nae score draw and the promise o a replay. Sic replays seldom gang tae the lesser club.

Sheets o rain swept Hampden on the nicht o the replay. Connachan in the Dunfermline goal played a blinder. Celtic pushed forrit and hammered at the goal but the ba jist woudnae gae in. Against aa logic it was naething each at hauf time. Celtic wer daein ilka thing richt, Dunfermline maun eventually brek under the pressure. They didnae and in 67 minutes a rare Dunfermline attack led tae a cross whilk was nicely heidit hame bi Thomson. Celtic renewed the attack wi added fury. And then, wi a couple o minutes left, an errour bi Haffey in the Celtic goal. He drappit the ba at Dickson's feet wha ran it ower the line for a 2-0 victory tae the under-dugs.

There is nae question that Celtic wer the better team on the nicht. Dunfermline's victory though, was deserving o credit for it was creatit oot o resolute defending and the ability tae mak the best o the chances they had. Dunfermline had won the Scottish Cup for the first time and they wer in Europe. There wer people on the streets o Fife waiting in the rain tae applaud the Dunfermline bus as it tuik the players hame.

European competition in the following season saw Dunfermline progress tae the quarter finals against Ujpest Dosza. The first roun in Budapest went tae the Hungarian masters bi 4-3. 24,000 cam tae the second leg at East End Park and saw their team beaten bi a single goal and thus exit the competition on a 5-3 aggregate.

Even in defeat this was a tremendous achievement bi the Fifers. Dunfermline wer, or rather had been, jist anither Scottish provincial side o nae great pedigree, resources or prospects. They had been in the near past on the point o relegation. Noo, here they wer, takin on yin o the great European sides as equals and playing an accomplished game. Stein shawed he had whit it taks. The season ended wi a highest eer fourth position in the league. In the previous season they had finished in twelfth place.

New building at the grun shawed that the confidence that Stein had built intae the players had rubbed aff on the directors tae. East End Park luiked like the hame o a club that believit in itsel. And yince mair they wer in Europe.

The following season saw them beat English giants Everton 2-1 on aggregate. Their next game was against

Valencia. In Spain they got beat 4-0. It was shairly aa ower. But Stein's magical influence did something tae his players. The hame game turned intae yin o the maist remarkable European ties and withoot doubt the greatest recovery against quality opposition. At hauf time the score was 5-1 and it ended an astonishing 6-2. The Dunfermline supporters went wild wi delicht. It went tae a replay in Portugal whaur the dream ended wi a 1-0 loss. But it had been a glorious moment for the club.

Season 1963-64 was Stein's last at Dunfermline. An offer cam frae Hibs and he went there in March 1964. In his fower years at Dunfermline he put them on the map and established habits that woud endure. The momentum frae Stein's time carried them through the '60s. In 1968 they yince mair won the Scottish Cup and they remained a first division club.

Hibs had faaen on hard times. Stein's job was tae bring back the glory days o the late '40s and early '50s. The memory o this was still strang. It meant that high expectations wer built intae the job frae the stert. As weel as inheriting expectations, Stein's arrival generatit them, for the club and the supporters kennt that they had captured the maist talented young manager in Scotland. He was expectit tae deliver success. And wi expectations cams pressure. It was, then, quite a different management challenge that faced him at Easter Road.

Stein wasnae a year intae his contract wi Hibs when Celtic cam for him. Stein coudnae resist them. They representit nae only a challenge o managing his auld team but a chance tae repay the debt he felt he owed tae Celtic for rescuing him frae Llanelly. But in that year his magical presence did something tae Hibs. Hibs had won the Summer Cup. They beat the awesome Real Madrid 2-0 in a hame freenly in front o 32,000. They beat Rangers twice in the league and put them oot o the Scottish Cup. They achievit consistency. When he left in March, Hibs wer in a strang league and Cup position. But whitever it was that they gained when Stein cam they lost it again when he left. Season 1964-65 whilk promised sae muckle for Hibs ended empty for them.

When Stein went tae Celtic he was camin tae the hecht o his pooers as a manager. Hibs wer unlucky for if he had steyed at Easter Road, he woud undoubtably have made them winners.

# 5. BACK TAE CELTIC

The Celtic that Stein returned
tae wer in a mess.

C eltic hadnae won a major prize since the League
Cup in 1957. Admittedly the winning o that prize
(mercilessly thrashing Rangers bi an unlikely and
rapturous 7-1) made for very fond memories but it was
nae eneuch for a club like Celtic. Indeed, that victory
taunted the Celtic fans wi the possibility o whit their
team was capable o. The talent was there, if only . . .

The failure o Celtic during these years stemmed frae
bad management. They had the resources, the players
and the support tae be the best. But in the year afore
Stein cam they wer eighth in the league.

The root o Celtic's failings lay wi their dominating chairman, Robert Kelly. That he had Celtic's best interests at hert cannae be denied but, in believing it his responsibility tae mak aa kinds o decisions aboot the day-tae-day running o the team, he had completely undermined the manager's position. The buying and selling o players, the maintenance o standards, the selection o the team and its tactics wernae decisions that Mr McGrory was free tae mak. Kelly woud intervene whenever he wantit tae. And ower the years he had been responsible for mony mistakes in team selection and tactics that had cost Celtic dearly. There is naething worse for a player than nae kennin wha's in charge. The uncertainty that the chairman's presence generated brocht wi it inconsistency and it was this that made Celtic a mediocre team throughoot this period. There was nae prospect o improvement; the relationship atween Kelly and McGrory had becam a tradition. The stifling presence o the chairman was jist the wey things wer at Celtic Park.

There was much resentment at this but little that coud be done inside the club. The fans though, coud dae something, they coud stay awa frae their lacklustre team. In the disastrous season prior tae Stein's arrival they did jist that and, wi the revenue hit, the chairman at last stertit tae get the message.

The invite tae Stein was brocht aboot bi necessity. A sense o gloom surroundit the club. It needit somebody new tae sort it oot. Stein had lang been nursing a desire tae be Celtic manager and Kelly kennt this. Stein was obviously equipped for the job and he had made himsel available. Aa it needit was Kelly tae connect the pressing need for change wi Stein's willingness. There was nae plan involvit in Stein's return tae Celtic Park – although the chairman liked tae suggest that there was. If it coud be sayd that there was ony lang term vision involved in Stein takin ower Celtic then it cam frae Stein himsel maintaining the connection and the desire.

The appointment o Stein wasnae a decision based on logic alane. Stein was a Protestant. And, incredible though it micht seem noo, this was a fact o major significance. In owercamin whitever prejudices or fears they maun hae had, Kelly and the ither directors, Catholics tae a man, are due muckle credit for stepping ower this barrier. Aa prejudices appear stupid and hollow wi hindsicht, but it taks courage tae staun against them at the time. The Celtic decision tae appoint Stein represents a social vision o a better future whaur sectarian prejudices nae langer exist.

The sorting oot o Celtic's problems needit mair than a manager wi talent. It needit, first o aa, somebody wi the will tae staun up tae the chairman. Big Jock was that man. He kennt that the first step tae success was tae remove the influence o the board and the chairman frae the management o the team. He made shair that his exclusive control o the team was a condition o his acceptance.

The very thocht o Stein camin liftit the haill club and nane mair than the players. The team's first game

wi Stein in charge was against Airdrie. Celtic whacked
them 6-0. Bertie Auld netted five. Yince mair, as at
Dunfermline and Hibs, Stein had enjoyed the perfect
stert. In the weeks tae cam Celtic woud stumble in some
games but it was widely felt that it was only a question
o time afore things stertit gaein richt.

Things wer certainly gaein richt on the training field.
Balls appeared. There was discipline. There was
purpose. The haill emphasis shifted frae running tae
ba skills, practice moves and practice games. There wer
talks on tactics. There was the building o confidence.
Stein kennt whit he was daein and there is naethin
better than a leader wha radiates certainty.

It seemed as if Stein and the team he inheritit wer
made for each ither. They wer unshair, unsuccessfu,
desperately in need o guidance, encouragement,
leadership. Stein was whaur he wantit tae be and wi
the challenge he had sae lang desired. He woud provide
whit they needit.

Bi the time Stein had arrived at Celtic Park ony
chance o daein weel in the league was ower. The Scottish
Cup representit the only possibility for glory in his first
season. The prospect o success in this contest was made
that bit easier for Celtic because Hibs, in Stein's last
game as manager, had put oot Rangers. Celtic needit
twa tries tae get past Motherwell in the semi-final. But,
if they stumbled a bit in the first game, a formidable
display and a 3-0 win in the replay made them deserving
finalists. The final was against Stein's ither team,

Dunfermline Athletic, then enjoying a great season whilk was tae finish wi them as league runners-up. Jock's influence woud touch baith teams – this was nae forgone conclusion.

Naebody kennt Dunfermline like Stein and this knawledge becam pairt o his game plan. His pre-match preparations gied a confidence tae his players. They felt that they had the measure o their opponents. Ilka player was gien specific instructions. Maist significantly, for baith the game tae cam and the future success o Celtic, Bobby Murdoch was shiftit frae a forward tae a midfield position. The feeling was strang that Celtic coud dae it. A gigantic 100,000-plus crowd turnt up at Hampden Park tae see.

Fitba isnae a science. Things seldom gae as planned. And Dunfermline wer a strang side wi nae reason tae fear onybody. And sae it was that Celtic went in at hauf-time 2-1 doun. Stein was able tae impress his players that they wer daein the richt thing and that there was nae cause tae panic. Since Stein had returnit, there had been an irresistible sense that success woud cam, that glory days wer on their wey. And noo, in the dressing room at hauf-time, while Stein was explaining some tactical adjustments, the team becam aware that the responsibility for converting Stein's energy and vision intae success lay wi them. And mair, that this was the perfect time and place tae prove that things had changed for the better.

When Celtic ran oot for the second hauf they kennt

they had the pooer tae tak the day. It was their duty tae Stein, tae the fans and tae themsels tae dae sae. If glory was tae cam tae Celtic it had tae stert noo. In seeventy minutes Auld scored his second goal. It was 2-2. And then, wi echt minutes left, Lennox won a corner. Billy McNeill had been tellt bi Stein tae cam up for corners. McNeill ran up and flew high abune the defence. He made a beautifu connection wi the ba tae send the heidie rocketing intae the net. 3-2.

For the Celtic fans, delicht gied wey tae fear as Dunfermline cam raging back for the equalizer. They didnae get it. Celtic wer the Scottish Cup winners for 1965.

Stein ended the season wi a bang. That Celtic carried a bit o luck only further confirmed that Stein's presence was magical. The cup victory was seen as prufe that Celtic wer back wi a vengeance. The team coudnae wait tae the stert o the next season.

That summer wasnae devoted solely tae preparing Celtic for the camin season. For Stein was asked tae tak temporary charge o the national team whilk was attempting tae qualify for the Warld Cup finals in England. Scotland's group includit Finland, Poland and Italy. But failure tae find a replacement led tae Stein being invitit tae stey on until the qualifying games wer ower. Celtic generously agreed tae this. In the end, Scotland's hopes cam doun tae the final game against Italy in Naples. The Scotland team, massively weakened bi withdrawls, was beaten and Scotland wer oot. Yince

*McNeill made a beautifu connection wi the ba*
*tae send the heidie rocketing intae the net tae win*
*the 1965 Scottish Cup final*

mair wi Scotland, it was a case o sae near yet sae faur. But baith Stein and the team had done weel eneuch gien the circumstances. Stein coud noo devote himsel tae Celtic.

A consequence o Stein's brief stint wi the national team was a change in the wey that the players wer selectit. Prior tae Stein, this was chosen bi a self-appointit group caed the Selection Committee. The Scotland 'manager' was then gien the team sheet and had tae mak the best o it. Haein nae direct control ower the team selection seriously eroded the manager's authority wi the players and reduced the scope for experiment and development. The set-up was amateurish and, wi nae real boss, the potential for confusion and discord was great. Following Scotland's failure tae qualify for England in 1966, the pressure tae change this system becam irresistible. The Selection Committee's influence waned and disappeared, tae be replaced bi a manager wi fu pooers.

# 6. THE DREAM CAMS TRUE

Stein brocht aboot the maist
remarkable transformation in the
history o fitba.

Although they ended the season as Scottish Cup
holders Celtic finished in echt place in the league.
Winning the cup was nice but it is the final league
position that indicates the true value o a team. Mony a
team can win a cup, but only the best can win the league.
For the winning o the league doesnae depend on luck,
but on consistently guid performances; o grinding oot
results regardless o how ye play; o thrashing teams that
are asking for it; o riding the knocks; o takin chances; o
makin an instinct o self-belief and excellence.

Stein's joy, then, at winning the cup woud hae been affset bi concern aboot his team's mediocre performance ower the haill year. It was the league championship that proved wha was the best. This was the prize that maittered. Richt frae the beginning he made it clear that this was his goal. In the summer he set aboot giein his players the belief and the organization tae mak the winning o the league a possibility.

Stein kennt mony o his players frae the days afore he left for Dunfermline. His knawledge o some o them, John Clark and Billy McNeill in particular, cam frae the earliest days o his coaching at Celtic Park. Mair than maist he kennt jist how guid the talent was. It was the belief that was the problem. That belief isnae easily acquired, especially in a team that's been sae lang parted frae the league championship. Belief isnae the same as confidence; maist teams stert aff confident eneuch. Belief is harder, it can tak the knocks, it can tak the pressure. Belief has a date wi destiny. There was nae man mair suitit tae building that belief than Stein.

Stein's natural authority had been strengthened bi continued success. He had an imposing physical presence – it was nae for naething that he was caaed the big man! He believit in himsel and he believit in his players. He made it easy for the players tae believe in him for he representit in large scale the very qualities o dedication, ambition and integrity that he soucht tae encourage in them. And their growing belief in themsels fed aff his belief in them.

Stein kennt that the tap dug is him that fechts for the langest and he preparit his players for that fecht in the camin season. He was aye on the training field wi them, aye watching, aye thinking, aye advising. He usually foun jist the richt thing tae say. "C'mere," he woud say, "and listen tae this." Stein jined in wi the practice games, aften trying tae mak up for his lack o mobility bi rough hoosing it. He got tae ken his players like nae ither. Eftir the manner o his age, he wasnae gien tae richly praising his men but sic praise in whitever form it cam in was aa the mair effective for being rare and genuine.

Stein was able tae find jist the richt level o planning and motivation for his players. Probably nae story demonstrates that sae nicely as his combined motivation and instruction tae Jimmy Johnstone jist afore a game. Eftir Stein had gien individual instructions tae maist o the team, Jimmy asked, "Whit aboot me, boss? Whit am I tae dae?" And Stein answered, "Jist you go oot there and dae whitever the hell ye like!" There coud be nae mair perfect instructions for sae unfettered a talent.

Stein coud be quite licht-hertit wi his men but there was neer ony danger o them forgetting that their job was serious and sae was he. He was hard and ruthless. Indeed, harder and muckle mair ruthless than it is mibbe possible tae imagine gin aa we mind is the calm and affable man seen on the telly.

For shair, safter edges aften appearit through the

hard shell. His wicked sense o humour, his generosity, his concern for ithers, aa these wer genuine traits but they neer got in the wey o his hard side whaur Celtic and success wer concerned. The players caaed him boss, ithers caaed him Mr Stein – they woudnae hae daured caa him onything else! There was neer ony doubt o wha was in charge or whaur the lines wer drawn. He demandit the best o them because he gied it o himsel.

He coud gie the team or an individual a terrible sherrackin. If it tuik place in a dressing room Stein woud deliberately close the windaes tae mak shair that naebody else woud hear and then he woud get tore intae them. Tae be on the end o this was a terrifying and belittling experience. Feelings wernae spared. His players hae sayd that the language yaised coud blister paint. They had nae choice but tae thole their scauldin in silence. On the ither haun, Stein coud be remarkably tolerant o an individual mistake. "Don't worry about it – let's jist get on wi the game," he woud say. It was lack o effort or carelessness that got his temperature rising. Aften though, a glowr was eneuch tae gie somebody the message.

Stein's confidence in the team he had tae haun is neatly demonstratit bi the fact that he only made a single purchase for it during the summer brek. £22,500 brocht Joe McBride frae Motherwell tae Parkhead. Stein was delichtit at landing sic a pooerfu and aggressive forward. McBride was delichtit for he was Celtic daft.

Season 1965-66 stertit and Celtic built up momentum.

*Stein demandit the best o his players
because he gied it o himsel*

The League Cup at the stert o the season providit Stein wi an opportunity tae confirm that things had changed. Celtic didnae hae an easy ride tae the final, but the important thing was that they got there. Their opponents wer the holders, Rangers. An astonishing 107,609 turnt up (nae counting the boys liftit ower the turnstiles!). It was a hard and tense game.

Aften in a game like this jist yin player maks the difference – in this game it was Hughes, the Celtic forward. The Rangers defence was tormentit bi him. And it was him that gied Celtic a twa goal lead at hauf-time, baith goals camin frae the penalty spot. In the second hauf Rangers pushed back eer harder as the end approached and won a goal but it was nae eneuch. Celtic wer the 1965-66 season League Cup winners.

At the New Year game Celtic and Rangers wer level on points. As is aften the case, it was felt that this woud be the maist significant game o the season. That the winner o this game woud tak the league. The Celtic support wer fu o cheer and sang – they wer sune tae be silenced. In the first minute Rangers scored and went intae the brek aheid wi that goal. Celtic had certainly got the better o the play in the first hauf; but was this gaein tae be anither yin o thay games whaur Rangers micht be ootclassed but nae beaten?

Eftir hauf-time Celtic played as if a wand had been waved ower them. Things stertit gaein richt. In five minutes a Gemmell attack led tae a neat Chalmers goal. The teams were level, but briefly. Noo Celtic ran amok. The final score was 5-1. Chalmers got a hat trick.

Rangers wer thrashed. Celtic, noo twa points in front, wer favourites tae tak the league. This was a new kind o pressure tae Celtic.

Sune eftir this Celtic's grip on the league stertit tae slip. Rangers edged in front. It was at this point that the champion pedigree o the Ibrox men usually began tae tell. They had a big eneuch pool tae keep their teams relentlessly strang and the unyielding belief that they woud win. Between these imperatives o pooer and belief their rivals jist becam squeezed oot o the title race. This is whit seemed tae be happening tae Celtic. This was whaur Celtic needit Stein's tactical knowledge, his calmness and abune aa his leadership.

Stein kennt that Celtic's lack o experience in the high pressure title battle that they wer noo in coud lead tae them ower-reacting tae losses or victories. This was the danger. He did aathing he coud tae keep them calm and focused on the next game.

He tellt his men nae tae worry aboot ony slip-ups, that aabody maks them, even Rangers. They wer tae keep focused on their goal o the league championship, but ane game at a time. Things woud cam richt! Stein gied his men a wee edge in mony games bi makin a sma change tae the line-up or a tactical alteration. This freshening up o the team was tae be his hallmark – it put opponents aff balance and kept the players keen tae prove their worth, for naebody was there bi richt. Stein had nae favourites.

Stein was richt. Rangers did slip. Celtic too had some disappointments; they got put oot o the Cup Winners

Cup semi-final bi Liverpool on a 2-1 aggregate. And Rangers beat Celtic 1-0 in the replay of the Scottish Cup final. In baith cases they wer a bit unlucky; in the Liverpool match because a legitimate goal bi Bobby Lennox was disallowed and in the Rangers game because Kai Johansen's goal for Rangers was completely against the run o play. But these disappointments wer forgotten in the euphoria o Celtic takin the league championship bi twa points.

Celtic's final game against Motherwell was a formality, for they had already won the league. The Celtic fans wer delirious. At last, the dream had cam true. A league and League Cup double, Ay! In Stein's first full season he had achievit whit he had set oot tae dae. There was nae mistake in onybody's mind that this achievement was Stein's. It was his will and intelligence that made it possible. The fans chanted his name. He was a hero tae them.

Stein was the type o man that was neer satisfied. His mind was aye thinking o improvements. Frae that final league winning whistle at Motherwell's Fir Park he was planning the next season. He kennt his team had mair success in them and he was gaein tae get it oot.

The early summer tour o the USA and Canada is aften considered the occasion whilk fine tuned the team. A special bond developed atween the players. They wer like a band o brithers; it gave the team an unrivalled unity. Awa frae the pressure o obtaining results, Stein was able tae tinker wi the team and build up his stock o ideas. Celtic were impressive. In wi the big bag o victories against lesser opposition, they twice defeatit Tottenham Hotspur and drew 2-2 wi the michty Bayern Munich. They returned relaxed, fit and wi their confidence sky-high. A pre-season freenly against Manchester United woud be the test o how faur they had cam. This game wasnae a meaningless kick aboot; the ambition o Celtic and the pride o Man U woud ensure the game woud be as fiercely contestit as ony cup tie. And in winning 4-1, Celtic gied the message tae aabody else.

Celtic stormed intae the new season 1966-67. Opponents wer swept aside wi imperious authority or they wer grun doun. The Glasgow Cup was the first trophy up for grabs; Celtic disposed o Rangers 4-0 and Queen's Park 4-0 and then beat Partick Thistle in the final bi 4-0 again. Of coorse, the big test for Celtic was their performance against Rangers. Celtic didnae let their fans doun; in those first few months o the season Rangers wer defeatit thrie times. In the first round o the Glasgow Cup, in the league and in the League Cup final.

Reliable, relentless, automatic, efficient, Celtic wer noo a smoothly running machine. Ithers sometimes spoke o Celtic getting aa the luck but in their herts kennt that Celtic had made themsels invincible. Whit luiked like luck was in fact desire, pooer, will. Celtic had developed the ability tae win the game aa the wey through the 90 minutes. Ilka attack coud lead tae a goal – indeed, jist for Celtic tae hae the ba was tae mak the prospect o a Celtic goal only an instant awa, for almaist everybody coud score. McBride certainly woud score – he jist coudnae help it. And Bobby Lennox, wi the reflexes o a snake, was as likely tae score in the last minute as in the first. Naw, it wasnae luck that drave Celtic through that season, it was total fitba.

At the end o the year, hauf wey through the season, Celtic suffered a blaw whilk coud hae had disastrous consequences. McBride suffered a knee injury whilk put him oot o the team. Already, in hauf the season, he had banged awa an astonishing 37 goals and was clearly heidin for a record-bursting season total. How coud he be replaced?

Jist afore the injury, as if bi premonition, Stein had bocht Willie Wallace frae Hearts for £28,000. Wallace effortlessly slotted intae the attack. We are nae tae ken noo whit we missed wi McBride, whas season was ower and subsequent career blichtit bi the same injury, but Wallace was sic a talented player and goalscorer that it hardly seemed that he was missed. Guid luck or nae, Stein had played a maister stroke in getting him. In his hauf a season he netted 21 goals.

In the second hauf o the season Celtic continued tae be the pace setters, but Rangers hung ontae Celtic's coat tails. The Celtic people wer still optimistic o a clean sweep o the domestic honours but it was clear that the last few months o the league wer nae gaein tae be a smooth run tae the championship. It woud be a ticht.

Rangers had an extra incentive tae owertak Celtic

and win the league, for their hopes o retaining the Scottish Cup wer ended early on bi lowly Berwick Rangers. Celtic progressed tae the final whaur they met Aberdeen in front o 127,000 fans. Twa goals bi Wallace settled it.

Celtic noo had aa thrie cups. Only the league was left. Only Rangers coud stop them; and how Rangers maun hae wantit tae! The last chance for Rangers dependit on them beating Celtic on May 6th. Rangers got twa goals and Johnstone got twa for Celtic; a draw, ane point each and the title went tae Celtic yince mair.

Celtic had won aa the Scottish honours available; League Cup, Glasgow Cup, Scottish Cup and League Championship. They had established an unequalled dominance ower their rivals. In the course o daein this they had been beaten but twa times – in baith cases bi Dundee United. Fittingly and pleasingly (for Celtic onywey) they had won the league title in the 2-2 draw against Rangers jist mentioned. But in winning Celtic hadnae cruised tae the championship, for Rangers, aa credit tae them, had hung on waiting for a Celtic slip-up. It neer happened. But at the end only thrie points separatit the twa teams. The contest wi Rangers was as muckle a game o nerves as o fitba.

And it is here that the genius o Stein lies. For he hadnae fabricatit or bocht a team o giants wha jist ran awa wi the prizes. His was a feat o leadership. There is nae questioning the natural genius o this team but the perfect blend o individual and collective effort cam frae

Stein. He had gien his hame grown team the organization and nerve tae gae for glory and battle on until they had it.

For aabody connectit tae Celtic it was a glorious moment. But the celebrations wer slichtly muted, for there was yin task left afore they coud sit doun and enjoy themsels.

# 7. THE EUROPEAN CUP

The European Cup contest was a
glory road tae the greatest prize
in European fitba. Or a dusty
road tae defeat.

A a the wey through that marvellous season while
Celtic wer relentlessly driving towards the league
title and winning ilka cup challenge as it appeared, they
wer involved in anither contest. This was the European
Cup. Only the best, the league champions o ilka country,
wer entered intae this contest. And only the best o the
best made it through tae the final. Since the cup's

inception in 1955 nae British club had been able tae win it. And mony sair lessons had been learnt *en route*.

Ony beliefs in the innate superiority o British fitba wer quickly knocked doun bi the development o this contest. Ilka year it was proven that British clubs coud nae survive at the highest levels. Aften eneuch the British clubs coud match their opponents for maist o the game but, when it cam tae the crunch, they seemed tae lack something decisive; an alertness, patience, a plan, a killer instinct near the goal. Ither times they wer owerwhelmed bi the superior skill and organization o their rivals.

Stein was too realistic and too knawledgeable aboot European fitba tae allow ony arrogant thochts tae enter the minds o his players. Naebody kennt better that there wer nae easy games in Europe; the 'easy games' wer jist a disaster waiting tae happen. And the players, for their pairt, woud mind in the year afore Stein cam how a 3-0 hame victory against MTK Budapest in the Cup Winners Cup was ower-turnt 4-0 in the awa leg tae put Celtic oot o the competition.

But in getting richt the correct attitude o respect and caution amang his players he was gey carefu tae balance it up wi confidence. For ye can gang too faur in emphasising the obstacles. Ye can ower-burden the players wi information, ye can instill too much respect for opponents. It's aa aboot balance. Stein's genius was tae get this richt time eftir time. He was able tae plan tae counter the strengths o opponents while emphasising Celtic's strengths.

The first game o Celtic's first eer European Cup campaign was at hame against FC Zurich frae Switzerland. Swiss fitba was an unkennt force. This mystery factor surrounding their pedigree made Celtic wary but nae too apprehensive. They wer certainly apprehensive eftir an hour when Celtic had failed tae score. The Swiss wer smart and organized, their plan was tae stifle Celtic bi playing a rough defensive game. Celtic had the ba but they coudnae get it intae the net. The fear o a bad stert, the fear o finding oot that their pooer at hame was really nae special thing abroad was in danger o camin true.

Celtic needit somebody tae cam tae their rescue. They needit the cavalry. The cry was answered, as it sae aften was, bi Tommy Gemmell. In 64 minutes he fired ane o his specials frae 40 yards – it went through the goalie's erms as if it was a cannonball. Zurich noo had tae gang on the attack. Their defensive lock on Celtic was broken and intae the spaces cam McBride and anither goal. 2-0 tae Celtic. They had passed the first test. A week later, in the second leg o the tie in Zurich, Celtic shawed their class wi a 3-0 victory. Yince again, it was Gemmell wha broke the deidlock wi an almaist identical goal tae that in the first game.

The first hurdle owercam, Celtic went on tae beat Nantes, the French champions, bi an aggregate score o 6-2. In a hard focht and even contest wi Vojvodina, the Yugoslav champions, McNeill scored wi a soaring heidie in the last minute tae gie Celtic an aggregate score o 2-1. Then in the semi final, Dukla Prague the Czech

champions wer beaten 3-1 at Celtic Park and drawn wi
0-0 in Prague. An aggregate score o 3-1 tuik Celtic tae
the final. And there they woud meet the smooth and
awesome Inter Milan.

Ilka game in their journey tae the final had posed
its ain problems and had brocht forward a Celtic hero
tae match it. Gemmell had shot doun the Swiss.
Johnstone's sublime skills had burst open the French.
In the second leg o the Vojvodina tie McNeill had rescued
Celtic richt at the end. In the first leg o the Dukla Prague
game, Willie Wallace, in his European debut, had scored
twice. And in the grinding 0-0 draw o the second leg o
the Dukla Prague game McNeill was neer mair
inspiring as captain.

But we maun mind when we single oot a player for
special praise that their genius was dependent on the
graft and craft o their team-mates. Stein's Celtic played
as a team. Ilka player was prepared tae tak the pressure
o carrying the ba. Seldom coud ye say that somebody
had a bad game. A regular game for Celtic under Stein
was yin played tae a very high standard o excellence
and industry. A regular game meant Lennox running
his hert oot, a goal frae Chalmers, some great saves
frae Simpson, perfect pass eftir pass frae Murdoch.
Naebody was being carried.

A month eftir the draw wi Dukla Prague, Celtic wer in
Portugal's capital, Lisbon, for the final o the European
Cup against Inter Milan, the Italian champions. Inter

wer the glamour side o the tournament. They oozed class
and confidence. And mair than a touch o arrogance.
Inter wer veterans when it cam tae belief – for them
there was naething remarkable aboot the fact that they
wer in the final. They believed that they woud win
almaist as a richt. Theirs was a different sort o belief
frae the gallus quality tae Celtic's belief; Celtic believed
that they coud win, Inter believed that they woud. It
was a belief wi foundation. For aa their film star luiks
and habits and salaries, they wer a great side. Indeed,
yin o the warld's greatest club sides eer. This was nae
bunch o Italian *prima donnas* waiting tae be pushed
aside bi the passion and vigour o the Scotsmen. They
wer great athletes wi marvellous skills and they played
tae a weel understood system. They played only tae win
and win they nearly aye did. They had been the
champions twice in a row in 1964 and 1965 and they
wantit the cup back again. They wer a team withoot
obvious weaknesses, except in their certainty.

The backbane o Inter's strength was their system.
They played a highly defensive game and their main
objective was tae prevent the opposition scoring. They
achievit this bi ticht man marking and dense defending.
The opposition attack was stifled. Inter waited on some
mistake or a gap tae appear and then hit on the brek.
It was a style that demanded discipline and patience
and nae sma measure o cynicism. Inter coud flow and
score freely but mair aften than nae they woud get a
goal and defend that lead for the rest o the game. It
was a style that was leading tae a lot o negative matches

– it was a style that was jist asking tae be put oot o style!

Wi their free flowing attacking play Celtic wer the opposite o Inter. Indeed, contrasts atween the clubs wer tae be foun ilka-whaur: Inter wer arrogant, Celtic wer gallus; Inter wer the establishment, Celtic wer the ootsiders; Inter wer a slick business operation run on a fabulous budget, Celtic wer like a corner shop and wer funded oot o the famous 'biscuit tin'. It is these and ither contrasts, nae maitter how fancifu some micht weel be, that gie this contest its great interest and significance tae us.

Of coorse, it's only a game o fitba but at this level it is aboot muckle mair than that; it woud be a clash o cultures. It was the fitba romantics against the fitba cynics. It was Scotland against Italy. It was the rebels against the establishment. Celtic, wi their ramshackle stadium and team that literally grew oot o their supporters, representit Catholic Glasgow and warkin class Scotland. They also representit Jock Stein.

The game was as muckle a contest atween the managers as atween the players. And in Helenio Herrera, Inter's manager, Stein had an experienced and ruthless adversary.

Clearly, it woud neer be eneuch for Celtic tae beat Inter simply bi turning on the style and playing their herts oot. The beating o Inter woud be the end point o a campaign. That campaign woud require generalship o the highest order. Stein understood this. A guid general shoud shield his men frae the problems and worries o the campaign. His troops shoud be brocht tae the battle fit, relaxed, knawledgeable in the ploys and strengths o their opponents but confident o victory. They shoud feel that their leader has ootwitted their opponents' leader.

Stein did aa this. He had prepared notes on Inter and developed on the training grun his plans tae defeat them. Even in the preparation o notes Stein had proved himsel a match for Herrera, for the Inter manager had tried tae trick Stein oot o the opportunity tae watch his opponents when Stein went tae Italy. Stein though was weel aware o the devious and unsporting side o Herrera and was able tae aye counter or dismiss his attempts tae unsettle and annoy Celtic. Stein steyed jolly and approachable and relaxed. He radiated calm and certainty. It was mainly an act, of coorse. But the eve o a great contest isnae the time for a leader tae unburden himsel o his worries. This was a lonely and exhausting time for Stein but sae weel did he hide it that naebody kennt the slichtest thing.

Stein wasnae the only yin wha had prepared his men. Herrera had prepared notes on Celtic. These had been supplemented bi a personal visit tae Ibrox tae see Rangers and Celtic draw 2-2 in the game that tuik the league championship tae Celtic. Baith goals wer scored bi Johnstone and Herrera marked him doun as requiring the tichtest o man marking. Herrera's plan for the game was basically the standard Inter plan; ticht marking o the danger men, the disruption o the Celtic attack, the generation o frustration and the goal frae a counter attack. Herrera kennt Celtic wer guid, but nae quite guid eneuch. In Herrera's view, Celtic wer the talented hicks wha woud put up a guid shaw afore bowing tae the inevitable. This was a widely shared view, especially in England.

Stein had aye been a follower o Continental fitba. Mony o his ain ideas for training had grown oot o ideas frae Europe. The fiercely competitive side tae his nature woud hae been fired up at the chance tae match his ideas against the best in Europe. He woud hae relished the prospect tae bring Herrera doun a peg or twa. But in public he kept the tension oot o his statements. He didnae want his men tae get too wired up afore the richt moment.

Stein's preparations wer masterly and his team wer as ready as they ever coud be for this, their greatest test. But there was something else that Stein brocht tae the final. And it was this something that maks Stein mair than jist a great manager.

That thing was dignity. "If it should happen that we lose to Inter Milan, we want to be remembered on the Continent – and indeed all over the warld because of the TV public – for the football we played. We want to make neutrals everywhere glad that we qualified." This was whit Stein representit. This was the very essence o the Celtic tradition.

# 8. THE GLORY DAY

The moment o truth had cam.
Estadio Nacional, Lisbon.
5.30pm, 25th May, 1967.

*En route* tae the stadium Celtic's coach was delayed bi a traffic jam. Some o the officials on the bus got worried but the players kept their cool. The coach turnt up at the Estadio Nacional late but nae sae late; there was 45 minutes left, eneuch time get ready and check the pitch. But nae sae much that woud lee them some spare tae waste in sma talk, repetition o instructions or jist waiting wi the tension. There cams a point whaur there is nae advantage in saying ony mair. Celtic wer at that point. Ilka ane kennt his responsibilities within the team and tae the supporters. 10,000 had made the journey tae Lisbon. For maist it was their first trip abroad and was achievit, Stein minded his team, at considerable sacrifice. The supporters' behaviour had been a credit tae their club and country. Noo it was Celtic's chance.

They were lined up in the tunnel. Side bi side. Blue and black stripes against green and white hoops. Inter Milan and eleven Scotsmen wi names that coud hae cam frae the schiltroms at Bannockburn: Simpson; Craig, Gemmell; Murdoch, McNeill, Clark; Johnstone, Wallace, Chalmers, Auld and Lennox.

For aa the talk and planning, the game is ultimately a physical contest atween men. And as ilka man thocht o this and his ain fears ower his worth on the day, suddenly cam the richt response tae the tension. It was a response that was pure gallus. Bertie Auld stertit it and sune they wer aa belting oot the Celtic song;

*Sure it's a grand old team to play for.*
*Sure it's a grand old team to see.*
*And if you know its history,*
*it's enough to make your heart go Oh, Oh, Oh, Oh!*

They had reached deep intae themsels and pulled oot their warriour souls. And as they ran oot intae the sun for the kick-aff they received a thunderous cheer. Inter's support was marginal, Celtic's was owerwhelming. Ilka thing was in place, only the winning remained. And then it's 5.30pm, the referee blaws his whistle. Johnstone and Chalmers are aff, the moment o truth has arrived.

The setback wasnae lang in camin. Cappellini collectit a pass in the Celtic penalty box. Craig had seen it camin and moved tae cover him. When the players made contact the Italian crashed tae the grun. Penalty. Mazzola scored.

It was aa sae easy. Eftir echt minutes Inter had their winner. And their bonuses. It was the dream stert for them. They coud noo play the remainder o the game exactly as they liked. They woud draw ahint their echt man defence and let Celtic run themsels intae the grun. They had the discipline o army veterans and kennt that they coud easily haud Celtic aff for the remaining echty odd minutes. And wha kens, mibbe mair goals as Celtic tired in the heat.

At that moment when Celtic kicked aff again, ilka thing that Stein had built up wi Celtic had cam tae the testing point. Woud the shock o the goal cause them tae collapse or gae frantic? Celtic pressed forrit wi mair vigour, but importantly they kept the heid. It was clear that their belief hadnae been damaged and their plan was intact.

As the game progressed Celtic got stronger and stronger and pushed eer harder on the Inter goal. Inter wer noo playing an echt man defence mair bi necessity than choice. Gemmell and Auld baith cam close. Ilka moment brocht chances and hauf chances. It was clear that Herrera's containment plan was failing. For Stein's Celtic was unusual in haein potent goal-scorers in their midfield and defence. Bi closing doun the Celtic forwards Inter had left free Auld and Murdoch in midfield and the mobile artillery o Gemmell. But Sarti in the Inter goal was haein a great game and the Italians went in at hauf-time wi their lead intact.

At the hauf-time whistle Stein woud hae been near bursting point wi aa the stress and worry. But when he met the team he was amazingly composed. This point, and in the few minutes that followed in the dressing room, was Stein's finest moment. It was here that he proved himsel a great leader. Wi the air dense wi worry and excitement, wi aa its possibilities o anger and ower-reaction, he had the composure o Napoleon. Ony suspicions that the team had o their plan jist nae warkin, o Inter turning on the style in the second hauf, o this jist nae being their day, wer snuffed oot bi his obvious satisfaction and reasssurances. Inter wer being ootplayed and wer oot o ideas. He minded them o a training grun trick for dealing wi a packed defence; gae doun the wings and then, insteid o crossing the ba, cut it back tae create a shooting chance. When Celtic went oot they kennt the game woud be theirs.

Inter had naething tae gie in the second hauf. They wer worn oot bi the relentlessness o Celtic. But they hung on and hung on tae their lead. And then, in 62 minutes it cam as Stein said it woud.

Craig pushed intae the box, the defenders moved

*Tommy Gemmell met mair than the ba*
*when he struck it perfectly, he met his destiny*

tae block him but he cut the ba back intae the path o the charging Gemmell. Aa the big shots that Gemmell had fired intae the net in earlier games wer like rehearsals for this ane.

The contact had tae be perfect tae beat Sarti. It was. It was a thunderbolt. Its speed defeats the ee – ye see a defender turning awa and then the ba in the net. A perfect moment – Wallace tae Craig tae Gemmell tae the net. It was only a kick and a goal – but whit a goal! But there is nae question that Gemmell met mair than the ba when he struck it perfectly, he met his destiny. Tae ken Gemmell, even frae pictures, is tae ken that he was made for that moment.

Inter wer oot o it noo. Their only hope lay in packing their goal area and mair luck. Mibbe they coud squeeze a draw and a replay. The Celtic fans and the Portuguese neutrals wer roaring Celtic on. Celtic wer rampant. Inter held. Wallace sent a shot in. Mibbe it was gaein in but Chalmers made shair. It was a great goal, baith simple and perfect. Sarti didnae even move. Five minutes left and 2-1 tae Celtic. Inter wer finished. Inter wer oot-thocht, oot-focht and oot-played. Herrera slinked awa afore the end. Stein left too in the last few minutes, the strain being jist too much for his nerves.

And then, crazy joy. The fans on the pitch. The cheering, the delicht, the glory. Only Billy McNeill was able tae struggle through the thrang tae pick up the cup. The players didnae resent the intrusion. They wer closer tae their supporters than probably ony ither players in the warld. They wer supporters as weel. This was a dream for them, nae jist as professional fitba players, but as wee lads wearing green and white scarves cheering for their team at Celtic Park.

The 2-1 scoreline doesnae indicate the margin o Celtic's domination. Inter wer completely oot-played. But it wasnae sae muckle the winning that gied Jock a deep satisfaction but the manner o the victory. Celtic had played an intelligent, passionate and, abune aa, fair game o fitba. They had rescued the game frae cynicism. It was this that led tae widespread satisfaction at Celtic's victory. Fitba fans aa ower Europe hailed the Celts.

The European Cup was the greatest club prize and clubs frae countries wi muckle mair resources than Celtic or Scotland coveted it. For Celtic tae jine that elite was an awesome achievement. But it was an achievement o management, for it was nae jist Celtic but Jock Stein's Celtic wha won. Jock was entitled tae the relief and the pride and the joy, but he held his emotions back. This was his manner. A general doesnae gae aroun cheering and whooping wi his troops. Probably Stein's greatest satisfaction cam frae the congratulations o Bill Shankly, the Liverpool manager – wha alane o Stein's peers had made the trip. Jock maun hae been bursting wi pride when Shankly tellt him that he was immortal. It was true.

*Billy McNeill was able tae struggle through the thrang
tae pick up the European Cup*

# 9. NINE IN A ROW

Eftir Lisbon things coud neer be
the same again

When Celtic returnit tae Glasgow thoosands lined the route tae Celtic Park. Inside the stadium the Lisbon team, noo kennt as the Lisbon Lions, emerged frae the tunnel in their blazers and club ties. McNeill and Murdoch carried the European Cup. Their supporters went crazy wi delicht. Frae the back o a green and white decked-oot coal lorry the team circled the track and acceptit the deafening praise. It was a joyous moment.

The glory belongit tae aabody connectit wi Celtic but the credit for the achievement was recognised as belonging tae Jock Stein. Prufe that Stein's achievement was appreciatit ootside o Scotland was gien when he was voted the British Manager o the Year for the second year running. It was an astonishing honour in sic a fickle and competitive sport. But pleasing though the honour and the attention maun hae been, Stein bi nature was owermuckle o a perfectionist tae spend time resting on his laurels. New standards had been set and new challenges tae be planned for. There was aye wark for the manager o Celtic.

Frae the moment that Celtic won the European Cup Stein had been presentit wi a challenge that was baith an honour and a curse. Celtic had been invitit tae play against Real Madrid in a testimonial match for yin o the warld's greatest players, Alfredo di Stefano. It was the acknawledgement that Celtic were worthy opponents tae Real Madrid – yin o the giants o European fitba wha wer fondly mindit bi Celtic fans as the team that had smashed Rangers in the European Cup thrie years afore bi an aggregate score o 7-0. The curse o the game was that Real Madrid wer the previous holders and woud be anxious tae prove that Celtic wer pretenders tae their throne. For Celtic tae lose woud be tae tak the shine aff their achievement. This testimonial woud be nae freely.

Predictably, this was nae free-scoring extravaganza. Baith sides focht fiercely. Too fiercely perhaps, for Auld got intae a fecht and was sent aff wi his opponent. The game was settled bi a single goal. Johnstone was at his magical best and made the goal that Lennox scored.

Celtic confirmed that they wer the best. At that moment, the best team in the haill warld. Stein woud hae been fu o pride.

That pride was tae tak a tumble a few months later when Celtic played Racing Club o Argentina for the Warld Club Championship. It is a contest that hardly merits being considered as a game o fitba as we woud understaun it. In fact, it was a clash o absolute opposites in fitba culture and it is perhaps best thocht o as an example o how different cultures incorporate their values intae the game. It is still weel remembered as the maist infamous game o fitba kennt tae Scottish fans.

Stein and Celtic coud neer hae been prepared for the level o cynicism and violence that Racing Club yaised in order tae win. Only the winning mattered tae them. Playing fitba was only part o the Argentinians' plan; muckle mair dependit on spitting, hacking, scything, elbowing, cheating and the creation o an atmosphere o menace. The return match in South America finished wi a draw on aggregate. Against the better judgement o the chairman, wha was set on gaein hame, Stein agreed tae a third match as a decider. This woud also be played in South America. It was his Scottish pride and his miner's toughness that made Stein accept the final challenge. Celtic lost bi a goal. The thocht o it still rankles.

Stein had indeed set himsel and Celtic impossible standards tae maintain. He kennt that nae maitter whit was tae follow woud be seen as a lesser achievement.

He was richt. But though Stein was neer again tae reach sic heights o success, the success he did bring was astonishing.

For nine years in a row his Celtic totally dominatit Scottish fitba bi continuously winning the league and, wi the exception o season 1972-73, at least yin major cup prize as weel. Of coorse, ther wer some setbacks and bad results but the habit o winning ran true and deep; Celtic jist coudnae be stopped.

Haein a successfu team poses a dilemma; if the manager maks nae changes tae the team then it naturally loses its edge, but if he maks ower mony then he destroys its togetherness and strength. The trick is in finding the balance. Stein shawed again and again his genius for management bi makin jist the richt adjustments tae the team. These allowit it tae evolve and stay strang withoot putting it oot o kilter.

Harry Hood, George Connelly, Dixie Deans, Kenny Dalglish, Lou Macari, Danny McGrain, Davie Hay and Roy Aitken wer the players that Stein gradually introduced intae the team that enabled it tae continue being successfu. They wer aa exceptional players. Dalglish, McGrain and Aitken becam club captains. Hay and Macari becam Celtic managers, although baith suffered frae the legacy o success that Stein left. Dalglish went on tae enjoy a fitba career o dazzling success as player and then as a manager. As the Lisbon team gradually broke up in the early '70s, it was those and ither less illustrious players that kept Celtic winning.

Mair important than jist the winning was the manner o the winning. Stein's Celtic was a team wi style and guts. They wer, in short, pure gallus. But abune aa they wer fair and sporting and entertaining. They wer a team that epitomized the very best o Scottish traditions. They coud be supportit wi pride.

Celtic's domination at hame was ultimately nae tae count in Europe. There wer some tremendous games tae be played and results tae be enjoyed; Benfica, Fiorentina, St Etienne, Red Star Belgrade, Ujpest Dosza, AC Milan, Leeds United wer prufe that Celtic's achievement was nae flash in the pan and that Stein's planning skills and pooers o motivation remained great. Throughoot the Stein era Celtic remained a potent force in Europe but nae an irresistable yin. Only in 1970 did they get through tae the final o the European Cup again. Celtic wer the favourites this time but wer ootplayed bi the Dutch champions, Feyenoord. Knawledge aboot foreign fitba then was less easily acquired than it is noo and sae perhaps it was naebody's fault in failing tae realise that Dutch fitba was evolving intae a warld force and that Feyenoord wer the vanguard o this phenomenon. But either wey, baith Stein and Celtic wer ower-confident and puirly prepared.

In the eftirmath o this game something was lost. Stein felt that the players had let him doun and they felt that he hadnae prepared them properly. In his hert Stein kennt his players' dedication and professionalism wer withoot question. His disappointment though, led him tae unfairly and ungraciously shift the blame awa frae himsel. Leaders shoudnae blame their men. The simple fact that Feyenoord wer a great team wha wer better on the day Stein foun difficult tae accept. Stein was nae longer the aa-kennin, aa-pooerfu figure. The general had lost a battle and faith in him woud neer be the same again.

Luikin back, mony hae felt that the defeat bi Feyenoord was a turning point in Celtic's fortunes. Bi losing, Celtic lost the chance tae jine the elite. There is mibbe some truth in this belief but the bigger truth is that Celtic's success in Europe was fated tae be a glorious episode. The sad fact is that there jist wasnae the business awareness or confidence or resources tae effect the transformation o Glasgow and Celtic intae a permanent European force. The failure wasnae Celtic's or Stein's, the failure lay in Scottish society.

The brainpooer, the vision and and abune aa the leap o confidence required tae capitalize on Celtic's success was alien tae the Scotland o that time. Stein's Celtic had brocht pride and excellence tae Scotland, as did Rangers when they won the European Cup Winners' Cup in 1972. But the cultural and economic base that coud hae supportit the development o a Scottish initiative based on their achievements was missing. Sic a thing existed in Holland and their fitba went frae strength tae strength at the same time as oor fitba went intae decline. There was nae debate on this in Scotland; how coud there be? The Scots didnae even ken whit was missing.

For Celtic tae found a new era o Scottish fitba woud

*His disappointment at the 1970 European Cup final defeat
against Feyenoord led Stein tae unfairly and ungraciously
shift the blame awa frae himsel*

be tae radically change ilka aspect o Scottish fitba. Expectation, funding, facilities, organization woud aa hae tae be examined in the licht o a desire for excellence and a will tae carry it oot. Scotland in the 1960s wasnae exactly bursting wi initiative and self-belief. It was Stein's genius tae bring the success and sustain it for as lang as the resources permittit. But Celtic's failure was Scotland's failure. At the time it was a dream too faur.

Mibbe Stein shoud hae taen up the offer tae manage Manchester United in 1971. Its timing was jist richt. The exhilarating drive o Celtic's first few years under his management was gane. Grievances had stertit tae build up wi some players. Stein was hardly less dominating a figure but neertheless, as the players matured and becam aware o their ain worth, the balance had shifted. It made managing them that bit mair difficult. He was at that point in his career whaur a change micht hae been a guid thing.

O aa the mony offers tae manage ither teams, the Manchester United ane was the only yin that really tempted him. But he didnae tak it. He had becam Mr Celtic, he had tae stey. But in steyin, he condemned himsel tae waiting for the inevitable defeat. It was a lang time camin.

Even in 1975, the year that Celtic finally lost the league tae Rangers, they still won the cup double; a pretty impressive wey tae lose the season!

Stein's disappointment at losing the league tae

Rangers was great although he was able tae accept the loss wi dignity. He realised that things at Celtic had becam a bit too routine, the loss was jist the thing tae gie the club a jolt. He was luikin forward tae the camin season and the opportunity tae shaw wha was the gaffer in Scottish fitba. He neer got the chance. That summer while returning frae holiday wi his wife and some freens he was involved in a terrible car accident. He was at daith's door for a while and mony wha kennt the extent o his injuries thocht it a miracle that he survived at aa.

But there coud be nae miracle aboot his recovery; it woud tak time. Sean Fallon, sae lang his freen and assistant, tuik ower as boss for season 1975-76. The obvious uncertainties that cam wi this season contributit tae Celtic's performance. Nae prizes wer won. They didnae dae sae badly but, for a team and their supporters sae lang yaised tae helping themsels tae the Scottish fitba honours, it was a disappointment.

Stein recovered sufficiently tae tak charge again the next season, 1976-77. It was clear tae aabody that the accident had wrocht mony changes. The maist obvious was his inability tae be eer present on the training field. The determination was there but it didnae hae that hard edge, he was a less ferocious figure noo. And in keeping wi his brush wi daith, he was mair humble, less certain. He had visibly aged. In that year he went frae a robust middle-age tae an auld man. There wer mony wha doubted whether he had the stuff tae pooer Celtic back tae the tap.

Sae muckle micht hae changed but Stein still had a

magical presence. Celtic won a league and Scottish Cup
double; the Cup being won as Celtic like tae win it; in a
victory ower Rangers. That summer, in a Faur East tour,
Celtic beat a Singapore Select, an Australia Select,
Arsenal and Red Star in the final tae win the Warld of
Soccer Cup. It seemed as if, eftir a brief interruption,
normal service was resumed.

In fact, Jock's ability tae manage Celtic had
diminished. In some weys Celtic wer on auto-pilot. It
had brocht them victory this year but eventually they
woud gae aff course and crash. They crashed the next
year. In season 1977-78 Celtic wer fifth in the league
and wer knocked oot o ilka ither prize.

Wi every leader there cams a time for them tae gae.
Nae maitter how popular or successfu, that time still
cams. Replacements o great leaders are aye painfu
occasions, for dominating figures are neer guid at
stepping aside. Although Stein cam tae see the logic o
the need tae replace him, in his hert he felt it as a
betrayal.

Stein's great captain, Billy McNeill, then the
manager o Aberdeen, was tempted tae tak up the
challenge. Stein's hurt was soothed bi the promise o a
place on the board; he woud hae been the first
Protestant board member – in sectarian Scotland this
woud hae been a significant event. It was nae tae be.

Stein felt that the job that accompanied his proposed
seat on the board, that o pools development manager,
was unsuitable for him and nae in keeping wi his

achievements and dignity. He fancied for himsel a job mair connectit tae the fitba side o the club. He cam tae view the job as a bit o a slap in the face, as prufe that the board really didnae want him aroun ony mair.

When the offer tae manage Leeds United cam, Stein tuik it. It was inevitable that his final days at Celtic woud be sad yins. Whit is unfortunate is the sense o bitterness and disappointment that surround them as weel.

The board wer inept in their handling o his final days; Celtic had a weel established tradition o insensitivity, and even incompetence, in handling situations like Stein's. Ye feel that they shoud hae kennt Stein weel eneuch tae ken whit tae offer him and how tae dae it. Perhaps too, Stein was sensitive tae some uncertainty that the board had aboot haein somebody wi his gigantic reputation, authority and frankness jine them. The cosy clan that ran Celtic woud hae been a bit less cosy wi Stein there.

But we maun mind that there are twa sides tae this issue. It is impossible noo tae ken whit the board's intentions wer and whether they spoke wi a single voice. It is equally likely that the board's offer wasnae sic a bad thing and that Stein coud hae made a go o it. Mibbe he had becam too prickly o late and was nae in the best position tae assess the worth o the offer made tae him.

The marvellous run had cam tae an end. Stein's departure truly was the end o an era. He had achievit the maist remarkable feat o management in the history o warld fitba. Naebody else coud hae done sae muckle wi the hame spun material he had tae haun. In his twelve fu seasons in charge his team had won nine league titles in a row and ten titles in total; they had won the Scottish Cup echt times; the League Cup six times and numerous ither prizes in Scotland and abroad. They had won the biggest prize, the European Cup. Only in his last season did Celtic fail tae win a prize.

Until the end o Stein's reign Celtic remained *the* team in Scotland. Stein, too, hardly seemed a figure handicapped bi his ain success or worn oot bi his immense warkload. That Celtic didnae scale the highest heights again is hardly prufe o failure; it is shairly only realistic tae expect that the great prizes in fitba turn up yince in a generatioun. It is a measure o Stein's achievement in the game that we pass ower much o his success as if it was commonplace. It was nae. It was the stuff o legend.

In aa the years o success Stein neer departit frae his code o ethics whilk demandit loyalty and hard wark. He neer forgot whaur he cam frae. His desire for success stayed strang. He was aye dignified and gracious in victory or defeat.

# 10. SCOTLAND TEAM MANAGER

Nae lang eftir Stein tuik up the
job wi Leeds United,
he was offered the job o Scotland
manager.

The prospect o moving back tae Scotland and the honour o managing his national side was too great tae resist. Eftir only twa months he was back hame, leein the great question o whether he had whit it taks tae dominate the English league unanswered.

Stein replaced Ally McLeod wha had been Scotland's manager in the disastrous 1978 Argentina Warld Cup competition. It was the manner, rather than the fact, o

Scotland's defeat that had caused sae muckle shame. Up tae that point McLeod had proven himsel a guid manager but he had erred seriously in building up the confidence o the team and mony o them had becam cocky. Even waur, McLeod himsel had got carried awa wi his ain crawin. Mony coud see whit was happening – or at least sayd they coud eftir it was aa ower – but maist Scots bocht it. The Scottish team got their cam uppance; it was neer mair deserved. The conduct o some the players had been sae unprofessional. The team and their supporters had been made tae luik and feel ridiculous. McLeod had tae gae. A defeat in the European Natiouns Championship providit the excuse.

Stein was the ideal, perhaps the only, person equipped tae limit the damage caused bi the Argentina debacle. His very presence at the helm instantly restored credibility. Dignity and realism woud be brocht intae the Scotland team's efforts.

He aye socht tae educate the public; the limitit expectations for oor national side whilk maist people noo accept as jist realistic are a legacy o Stein's influence. Whitever woud happen aabody coud be assured that the behaviour o the team woud be sober on and aff the field.

The consistency that Stein had built his reputation upon was impossible tae achieve in the warld arena. Even national managers frae first rank fitba pooers hae foun it gey difficult tae achieve. National team management was an entirely different management challenge frae that at club level. Aften when the callaffs cam pouring in jist afore a game it was simply crisis management. Success was ultimately dependent on resources and here the bigger countries enjoyit the advantage. Sma countries like Scotland wer aye gaein tae struggle.

The management o ony national side is a thankless task in whilk failure is only a game awa. Humiliation and recrimination loom ower the manager like vultures. Stein was able tae avoid this nastiness and the hysteria that can build up aroun national teams. This was itsel an achievement o nae sma value tae the team and the country.

Stein got us tae the 1982 Warld Cup finals in Spain. Predictably, Scotland's journey there had been a roller coaster ride. Scotland's group contained Brazil, Soviet Union and New Zealand. Although they played weel Scotland failed tae qualify frae their group. Baith players and fans wer a credit tae their country.

The roller coaster ride o guid, mediocre and terrible results continued aa the wey intae the qualifying stages o the 1986 Mexico Warld Cup. The uncertainty went tae the last game. Scotland had tae get a draw wi Wales at hame if they wer tae qualify.

And sae we gang tae Ninian Park in Cardiff on the evening o the 10th September, 1985. The pressure was terrific. The Welsh scored early and held on tae their lead. Scotland jist coudnae score. And then wi less than ten minutes left the Scots wer awardit a penalty. Stein had sent on Davie Cooper a few minutes earlier and he was the yin that stepped up tae tak the penalty on whilk aa Scotland's hopes restit. Cooper seemed like the only person in that stadium whas nerves wernae vibrating. The intensity was crushing. Cooper fired the ba intae the goal. 1-1. Scotland wer through tae the Warld Cup if they coud keep that score. They did.

But a few minutes afore the end Stein was seen tae be carried awa and up the tunnel. In the mayhem and the cheering o the Scottish fans naebody kennt whit had happened. In fact, Stein had taen a hert attack.

The attempt tae revive him cam tae nocht. At the very point o Scotland's victory, Stein had died. The pressure o the moment, o the Mexico campaign, o thirty years o worrying had taen its toll. He was 63.

In years tae cam, the timing and manner o Stein's daith micht weel be considered an heroic final moment. Of coorse, naething was further frae the minds o aabody that nicht in Cardiff. The celebrations stopped. The fans wer shocked – they understood his daith as a national tragedy and a personal ane. The fitba was put aside. The natioun had lost a great man.

Stein's faimly requestit that the funeral be a private ane. The lamenting though was natioun-wide. Stein was aye abune aa the hatred that scars oor fitba. Respect for him crossed aa boundaries o religion and tributes cam frae ilka quarter. In his daith as in his life he was the only figure in Scotland wha coud unite oor sometimes dividit country.

# 11. Luikin Back

Stein's achievements hae gained
in stature wi the passage o time.

Wi the passage o time mony achievements that yince earned the highest praise cam tae be seen as nae sae impressive eftir aa and some are forgotten aboot aathegither. Stein's achievements in contrast hae gained in stature ower the years. The euphoria has cooled doun tae be replaced nae bi a gentle satisfaction, but an astonishment at the scale and singularity o his success. As a fitba manager he had nae equal.

Tae achieve success in fitba is nae easy thing. Some managers hae been able tae summon the energy tae pooer their team tae success for a few seasons. But tae stey at the tap year eftir year as Stein did is unique.

We naturally think o Celtic when we discuss his successes but we maun mind that he was successfu afore he cam tae Celtic and eftir he left. Wi the ither teams he achievit as much as was possible; Celtic reserves won the reserve league, Dunfermline the Scottish Cup, Hibs the Summer Cup and Scotland qualified for Warld Cup finals. His teams played in coontless memorable games ony yin o whilk coud be considered the high point o the manager's art. Whaur ither successfu managers eventually fell bi the wayside, ran oot o ideas or energy, turnt tae drink or wer owercam wi vanity and self-indulgence, Stein steyed true tae his dream and his potential. He was thirty years at the tap in whit is arguably the maist stressfu environment imaginable. It is an extraordinary testimony tae his drive.

Some hae mentioned that Stein's success wi Celtic was only possible because o the weakness o rivals. And that had he been competing in, say, the English league he woud nae hae enjoyed the same level o success. This could be true. But ony achievement maun be considered in its ain context and compared tae that o its legitimate peers. Stein's success and Celtic's success was a Scottish success story.

It is interesting tae speculate on how transferable that success micht hae been but if it is yaised tae lessen the achievements then it is wrang heidit. In ony case, the Scottish league wasnae a cakewalk for Celtic. Only twice did Celtic run awa wi the league. Celtic micht hae been the dominant force but ilka game brocht a fresh chance for an opponent tae upset them; ither teams didnae lie doun for Celtic, the games had tae be won, ane at a time. There wer mony ticht moments. The success was aye a test o endurance.

Stein's success stauns ony comparison. Celtic's success was nae illusion created bi easy-gaein Scottish teams staunin aside and cheering Celtic on. The defeats haundit oot tae the best English clubs wer prufe o that.

There is nae mystery tae muckle o Stein's success. It was based on an intense and absolute commitment. He gied it and expectit it in return. He was nae a man that foun it easy tae be satisfied. His knawledge o ilka aspect o the game was deep, but this was because he warked hard at keeping it deep; he was aye on the training grun; he woud think naething o driving doun tae England tae tak in a game there; nae game was too insignificant for him.

He had a gift too for keeping things simple – his players kennt whit was expectit o them. Frae the beginning he made it clear whit he wantit. And although Stein looed the artistic side o the game, he neer forgot that it was a physical contest atween men. He made shair his men wer aye preparit for that aspect.

Wi Stein lang gane noo it is easy tae forget this hard side tae his personality. He micht hae had the luik o a big teddy bear but there was naething cuddly aboot him. The hard man, the dominating presence, the bully even, was a central part o his style until his accident. It was an aspect o management that cam easy eneuch tae him and was made that bit easier bi the age. Stein and his players grew up in an age when people wer instinctively respectfu and aften feart o authority. And Stein radiated authority. When he sayd jump, ye jumped. His domination ower his players was made that bit easier bi the fact that maist o them wantit tae play for Celtic mair than onything. There wer nae mercenaries in Stein's army.

Ane aspect o Stein's character that is aften owerluikit is his intelligence. The features o management that Stein excelled at – the encyclopaedic memory, the pooers o observation, the attention tae detail, the specific training, the appropriate level o planning, makin things seem simple – aa indicate a first rate mind. The successfu general kens that, aa things being equal, victory gaes tae those that are better prepared on the day. And sic preparation depends on staffwark and logistics, o anticipating the problems and sorting them oot. Stein won sae aften because he had oot-thocht his opponents. He was a fitba genius. Under different social circumstances he woud hae been lost tae fitba for his intelligence woud naturally hae led him intae a profession.

Stein was nae withoot problems as a manager. His management style was rooted in the 1950s. As time moved on and things relaxed a bit, Stein didnae change aa that much. He wasnae withoot his charms, of coorse, but his hard, authoritative approach didnae allow a mair balanced relationship tae develop wi his players.

*His relationship wi his great star, Jimmy Johnstone,*
*was prufe that Stein coud be indulgent and generous*

Mibbe he was too dominating, too inclined tae consider the players concerns or points as challenges. As mony o his established players becam mair able tae staun up for themsels frictions occured. Stein wasnae sae guid at handling these sorts o problems and departure usually resulted.

Some o his inept handling o his players has echoes in the club's handling o the end o his time wi Celtic. This was an age that wasnae especially guid at talking through problems. Ye did whit ye were tellt or ye wer oot!

But let us nae ower-emphasise the hard man side. Scottish fitba has kennt some terrifying disciplinarians wha demandit surrender tae their will. Stein wasnae sic a type. He coud be indulgent and generous wi his time. His relationship wi his greatest star, Jimmy Johnstone, was prufe o this. Ither managers woud hae ran oot o patience wi a player whase sublime skills coud be sae easily ambushed by pressure or the drink. In later lyff it gied Stein muckle satisfaction tae think that his efforts tae understaun (as weel as coax and bully) Johnstone kept him in the game a guid few years langer than he micht hae been itherwise.

Eftir the final in Lisbon, Stein tellt his players that things woud neer be the same again. He meant it as a spur tae gee them up for whit was tae cam. But he was mair richt than he perhaps realised. Mony o the problems o judging Stein's career stem frae the shadow cast ower it bi that fine day. Ither managers dream o sic a problem. It is a measure o Stein's genius that we pass ower the years eftir Lisbon sae quickly. Ony ane o these years woud mark a great success for ony ither manager – even o Celtic!

Considering the length o his career Stein made few mistakes. Clearly, the infamous games against Racing Club o Argentina and the 1974 European Cup semi-final against Atletico Madrid shoud nae hae been continuit eftir the first games revealed the level o cynicism that these clubs and their supporters had sank tae. Probably his vanity and competitive drive got the better o his judgement. Perhaps his only serious mistake frae a personal point o view was nae leein Celtic in the early '70s. It was hard for him and Celtic tae see the logic o leein while he was winning aathing. But whit Stein unwittingly did bi steyin was tae create a terrible legacy for subsequent managers. He was a hard act tae follow.

The beautifu and balanced team that Celtic becam under Stein was probably the high watter mark o Scottish fitba. An exclusively Scottish team has nae been able tae recreate that level o skill eer since. In oor modern game pooer has replaced much o the subtle ba skills. And it is equally unlikely that a team composed exclusively o Scots coud eer win a major European trophy again.

Stein's greatness rests on his achievements but it is not them alane that maks him a great Scot. The greatness is a quality o speirit. Stein's greatness depends on the manner in whilk he achievit success and the values he representit. The cynic, the egoist, the money grabber or the mercenary cannae achieve greatness. Stein was aye conscious o representing something mair than himsel and he aye conductit himsel wi a dignity befitting an ambassador o his team, his culture and his country.

The ugly sectarian division that exists atween mony Rangers and Celtic fans contained within it the potential for great discord. Stein's generosity tae opponents was crucial in cooling doun these resentments during the era o Celtic's domination. Stein and his team wer aye abune this mindless meaness. The very presence o Stein as the manager o Celtic and a Protestant did muckle tae challenge these attitudes.

The sectarian poison still runs deep today. It is reinforced ilka generation bi separate schulin and is gien visible form bi the behaviour o mony o the fans o Rangers and Celtic. But it is nae the social force that it yince was. Tae be a Proddie or a Tim only maitters tae those that identify wi it; the rest o society has moved on. Religious differences need invite nae comment. Stein's appointment tae Celtic and his creation o a winning team composed o baith Catholics and Protestants was a challenge tae the policy o Rangers at that time and tae sectarian attitudes in general. The them and us, the vicious triumphalism, was made less potent bi the visible prufe at Celtic Park that them and us wark thegither and bring success. Them and us coud be seen for whit they are – jist Scotsmen.

And it is probably the fact that his team wer hame

grown Scotsmen that gied him the maist satisfaction oot o aa his achievements and awards. His team was local produce in the maist direct sense. There was naethin narrow-mindit or chauvinistic aboot this attitude, sic concerns had nae place in Stein's mind. But there is obviously mair satisfaction tae be enjoyit in creating success rather than buying it. Stein made relatively few purchases; only McBride and Wallace figure in that great team and baith wer thieves' bargains.

Stein enjoyed mony honours. His players tae achievit an impressive sweep o awards; Billy McNeill, Ronnie Simpson, Bobby Murdoch, George Connelly and Danny McGrain aa won the Scottish Player o the Year Award. And Billy McNeill, Danny McGrain, Bobby Lennox and Kenny Dalglish wer awardit the MBE. Yet mair than the trophies, the CBE he was awardit, the adulation and the indirect recognition through awards tae his players, Stein woud hae appreciatit the greatest honour his fans and his country coud gie him – tae live in their memory as a decent man wha did them proud.

Despite aathing that's been written and sayd aboot Stein, when we luik back ower his lyff and we ask how he becam the best we find oorsels dealing wi a mystery. For although we we can see mony o the parts that mak a guid manager, the magic was in the fitting thegither o them. Stein's genius was tae get the balance richt. Naebody kens how that's done.

# 12. Oor Hero

Stein's achievements wi Celtic
hae a significance for us ayont
the warld o fitba.

C eltic's domination o Scottish fitba was hardly the
cause o celebration amang onybody unconnectit
wi the club. The losing teams, and Rangers in particular,
felt Celtic's success as a pestilence. But the mellowing
effect o time allows us aa tae see the achievement for
whit it was; the maist sustained piece o managerial
brilliance eer. Celtic's former enemies are noo
universally generous in their praise. Even those
uninterestit in fitba can still admire the feat o
leadership. Stein's life is a Scottish success story. Stein

is ane o the great Scots o this century.

Only sport gies us Scots the opportunity tae compete as an independent entity. Stein's wider cultural significance arises oot o him creating a successfu image o us abroad and at hame giein new lyff tae auld beliefs aboot oorsels as brave and decent. Celtic wer admired throughoot Europe and, bi extension, sae was Scotland. He put Celtic and Glasgow and Scotland on the map. Oor haill country enjoyed a reputation for excellence in an activity that is appreciatit mair than ony ither. The glory belangs tae Celtic but aa o Scotland basked in the glow. We oorsels can see it noo – as maist foreigners did frae the beginning – as an uniquely Scottish achieve-ment. It is ane that rises abune club rivalries and sectarian bitterness. It is an achievement that Celtic are forced tae share wi aa Scots – ay, even Rangers.

The glorious rise o Celtic and their European success occured in an age when Scots had mickle tae cheer aboot. Oor industries wer failing, mony communities wer failing, the high hopes that followit the war wer camin tae nocht for sae mony Scots. It was a time o uncertainty, o low expectations and low standards in sae mony areas o Scottish life. Scotland had a puir sense o itsel and too aften was a helpless spectator in its ain failure. Intae this grey picture o closure and blame cams Stein and Celtic wi success and glory. For a while Scotland was amang the best – it was something tae cheer aboot.

Jock Stein succeedit at the highest levels. He brocht glory tae his team and fame tae Scotland. He was a credit tae his fowk. He was o oor age and yet nae o oor age. He embodied muckle that was guid aboot auld Scotland and the warkin class community that he cam frae.

Stein's fundamental decency, his independence o speirit, his belief in hard wark and abune aa his integrity, the features o personality that underpinned his success as a manager cam oot o the community he grew up in. He is oor hero. We need share him wi naebody else.

It is aften sayd that in recent times Scotland has foun few figures that it can tak a simple, uncomplicatit pride in. I'll gie ye ane, Jock Stein.

# GLOSSARY

| | | | |
|---|---|---|---|
| aa | *all* | doun | *down* |
| aabody | *everybody* | | |
| abune | *above* | echt | *eight* |
| achievit | *achieved* | ee(n) | *eye(s)* |
| afore | *before* | eer | *ever* |
| ahint | *behind* | | |
| allowit | *allowed* | faa(en) | *fall(en)* |
| ane | *one* | fecht | *fight* |
| arrivit | *arrived* | forrit | *forward* |
| ayont | *beyond* | foun | *found* |
| | | fower | *four* |
| ba | *ball* | fowk | *folk* |
| bairns | *children* | freen | *friend* |
| barras | *wheelbarrows* | fu | *full* |
| believit | *believed* | | |
| bevvy | *strong drink* | gallus | *bold in attitude* |
| blaw | *blow* | gey | *very* |
| brek | *break* | gie | *give* |
| brocht | *brought* | gin | *if* |
| | | glowr | *fierce look* |
| caa(d) | *call(ed)* | grun | *ground* |
| cam | *came* | guid | *good* |
| | | | |
| daured | *dared* | haill | *whole* |
| dochter | *daughter* | haun | *hand* |
| dominatit | *dominated* | heich | *high* |

| | | | |
|---|---|---|---|
| heidie | *header* | ower(tak) | *over(take)* |
| hindsicht | *hindsight* | | |
| | | pairt | *part* |
| ilka | *each* | pooer(fu) | *power(ful)* |
| | | Proddie | *Protestant* |
| jine | *join* | prufe | *proof* |
| | | puir | *poor* |
| ken(nt) | *know (knew)* | | |
| knawledge | *knowledge* | representit | *represented* |
| | | respectit | *respected* |
| lave | *all the others* | richt | *right* |
| lee(in) | *leave(ing)* | | |
| leerie | *gas lamplighter* | scauld | *scold* |
| licht | *light* | schiltrom | *massed spearmen* |
| looed | *loved* | schule | *school* |
| luik | *look* | scrappies | *scrap metal* |
| lyff | *life* | | *merchant* |
| | | shair(ly) | *sure(ly)* |
| mairrit | *married* | sherrackin | *verbal abuse* |
| maitter | *matter* | sic | *such* |
| maun | *must* | speirit | *spirit* |
| mickle | *little* | staun | *stand* |
| mony | *many* | strecht | *straight* |
| muckle | *much / many* | sune | *soon* |
| | | syne | *since* |
| needit | *needed* | | |
| nocht | *nothing* | tellt | *told* |
| | | thegither | *together* |
| ony | *any* | thocht | *thought* |
| oor | *our* | thole | *suffer, endure* |

| | | | |
|---|---|---|---|
| thrie | *three* | weel | *well* |
| Tim | *Catholic* | wha | *who* |
| tuik | *took* | whaur | *where* |
| twa | *two* | whilk | *which* |
| | | wired up | *ready for action* |
| wabbit | *exhausted* | wrocht | *wrought,* |
| wantit | *wanted* | | *worked* |
| wark | *work* | | |
| waur | *worse* | yaise | *use* |
| weans | *children* | yince | *once* |

Other books in this series

*William Wallace*

*Robert the Bruce*

*Mary of Guise*

Planned titles include
other figures from modern Scotland